LA INVENCIÓN DEL 98
Y OTROS ENSAYOS

BIBLIOTECA ROMÁNICA HISPÁNICA

DIRIGIDA POR DÁMASO ALONSO

VII. CAMPO ABIERTO

RICARDO GULLÓN

LA INVENCIÓN DEL 98
Y OTROS ENSAYOS

EDITORIAL GREDOS, S. A.

EDITORIAL GREDOS, S. A.
Sánchez Pacheco, 83, Madrid. España.

Depósito Legal: M. 7530 - 1969.

Gráficas Cóndor, S. A., Sánchez Pacheco, 83, Madrid, 1969. — 3209.

LA INVENCIÓN DEL 98

La invención de la generación del 98, realizada por Azorín, y la aplicación a la crítica literaria de este concepto, útil para estudios históricos, sociológicos y políticos, me parece el suceso más perturbador y regresivo de cuantos afligieron a nuestra crítica en el presente siglo. Perturbador, porque escindió la unidad de la literatura de lengua española, embarcada desde 1880 en ardua aventura renovadora, e indujo a creer que la creación literaria había sido impulsada, durante veinte o veinticinco años, por un acontecimiento que sin duda la afectó, pero de modo más accidental y superficial de lo aseverado por Azorín. Regresivo, porque al mezclar historia y crítica fomentó la confusión en ambos campos, trazando para la crítica una avenida jalonada de lugares comunes ajenos a lo esencial del proceso creador. Así la desvió del camino estrecho por donde puede llegar a la comprensión de la obra de arte, mediante el análisis de los procedimientos puestos en juego para lograrla.

La vocación provinciana de los españoles pocas veces se declaró con tanta agresividad como en este singular empeño de separar lo nuestro de lo hispánico total, lo peninsular de lo universal. Y eso, aun reconociéndose, como Azorín reconoció desde los artículos fundacionales del equívoco, las raíces foráneas de la renovación literaria y la vinculación de los escritores españoles con los extranjeros. He aquí la nómina de los "influyentes", según la redactó el autor de *Los pueblos:* d'Annunzio, Barbey d'Aurevilly, Ibsen, Tolstoi, Amiel, Dickens, Poe, Balzac, Gautier, Stendhal, Brandés, Ruskin, Nietzsche, Spencer, Verlaine, Banville, Victor Hugo, Shakespeare, Musset y los dramaturgos modernos franceses. Sin negar esa vinculación, y aun exagerando toscamente su importancia (como hizo Julio Casares en los estudios de *Crítica profana),* pronto se llegó a la conclusión de que en la literatura española de la época lo decisivo era el elemento autóctono, numantino, irreductible.

Casares había leído a tuertas en líneas derechas, mal entendiendo la conexión entrañable entre lo que se escribía fuera de España y lo que se escribía aquí; mal entendiendo que Valle-Inclán sería mejor comprendido desde las novelas de Barbey d'Aurevilly y los dramas d'annunzianos; que Unamuno estaba más cerca de Ibsen y de Tolstoi que de Costa, y que a Rubén Darío convenía situarle en la atmósfera espiritual de Hugo y de Verlaine y no en la de Olmedo y Bello. Sin por eso negar el arraigo de Valle en Galicia, el de Unamuno en Castilla y el de Darío en lo austral y hasta en lo chorotega; arraigo que en ellos, y en otros, iba a suscitar la tendencia indigenista que acabaría siendo uno de los elementos caracterizadores de la época, en España como en Argentina, en Irlanda como en Rusia. Azorín ignoró o calló en 1912 una verdad harto palmaria: la literatura tiene su contexto propio en la literatura. Slovski y Eichenbaum no tardarían mucho en precisarlo así.

La "ciencia" literaria alemana (especialmente Pinder y Petersen) elaboró la noción de generación literaria. Sin discutir su utilidad en cuanto a los estudios históricos, me contentaré con señalar que esa noción no sirve en el presente caso: lejos de aclarar, enturbia. Entre otras cosas enturbió lo referente al lenguaje generacional, cuya existencia se dio —con razón— por supuesta al comparar el de quienes empezaron a escribir a fines del siglo XIX con el de los autores del naturalismo y el realismo, sin entrar a fondo en el examen de las semejanzas existentes entre el de los noventayochistas mismos. Quien al fin puso el dedo en la llaga fue Pedro Salinas. Al examinar la posible equivalencia entre las denominaciones "generación del 98" y "modernismo" afirmó: "el modernismo, a mi entender, no es otra cosa que el lenguaje generacional del 98". Exacto. Por tal razón los escritores españoles del período se inscriben en el amplio cuadro de lo que es, no ya un vasto movimiento literario, sino una época marcada precisamente por esa renovación del lenguaje, indicio del cambio en la sensibilidad y en las actitudes.

El lenguaje es materia que para existir depende de su forma; en el proceso creador y por virtud del "estilo" se transforma en sustancia. La letra es la misma; la música —sus relaciones significantes— distinta. Estas relaciones van haciéndose visibles según se constituyen. La palabra engendra algo nuevo, algo inexistente hasta el momento en que al ordenarse y regularse prolifera y se convierte en una acumulación con sentido, en un objeto referible de alguna manera a la realidad, pero que ni la representa ni puede sustituirla. Escribir es entrar en materia, en la materia verbal, para intentar la empresa desesperada de hacerse entender con ella, o cuando menos a través de ella, expresándose o más bien siendo expresado, pues el lenguaje es más poderoso que quien lo habla. El vulgar dicho "no encuentro palabras", será manido, pero es exacto. Son ellas quienes nos encuentran, se cruzan en el camino del escritor y le dictan su pensamiento.

Palabras como "intrahistoria" o "agonía", por ejemplo, fueron puntos de partida para la elaboración de una obra y hasta de una teoría que parecieron nuevas porque los signos verbales pertenecían a un sistema distinto del vigente hasta entonces. Las palabras son el contenido y se recordará cuánto insistió Unamuno en la importancia de estas cuestiones. "La palabra te traerá la idea", decía. Y más: la palabra será la idea, y el ritmo la visión, la creación. Quizá podemos citar a Bécquer y a Rosalía como precursores (en España): la "negra sombra" de Rosalía ya no es un espectro romántico sino otra cosa sus-

tancialmente distinta: la sombra que asombra y así se presenta
como fatalidad y destino.

Estoy hablando de Bécquer y de Rosalía para asociarlos con
Unamuno, como pudiera hacerlo con Antonio Machado. Caen
las barreras generacionales y otro tipo de afinidades se afirma
en el tiempo y en el espacio: en Rosalía hallamos ya giros expresivos y cadencias del lenguaje que Salinas llamaba "modernismo", y con el nuevo lenguaje todo va a parecer —y a ser—
diferente.

De no fijarse suficientemente en la creación misma, de
exaltar el españolismo frente al universalismo y de subrayar lo
negativo con preferencia a lo positivo arranca el error llamado
"generación del 98". Para describir la sustancia generacional
Azorín enumera los hechos contra los cuales se alzaron los escritores de la promoción noventayochista: "las corruptelas ad-
ministrativas, la incompetencia, el chanchullo, el nepotismo, el
caciquismo, la verborrea, el "mañana", la trapacería parlamen-
taria, el atraco en forma de discurso grandilocuente..., todo el
denso e irrompible ambiente" del país. Protesta necesaria que
acreditó a los protestantes de ciudadanos virtuosos y ejempla-
res, pero no excepcionales, pues bajo el signo de la rebeldía se
instituye en todas partes el modernismo.

La función del grupo minoritario consiste en preparar la
conversión del futuro deseable en presente aceptable, pero tampoco aquí podrían apuntarse muchos tantos los creyentes en la
autonomía del 98, pues esa función fue la peculiar de los modernistas. Y no se piense en que los españoles formaban un
conjunto más orgánico y unitario. No veo cómo se podría esbozar un esquema ideológico y menos un programa político en
el cual cupieran simultáneamente el mesianismo unamuniano,
el "anarquismo" en zapatillas de Pío Baroja, el jacobinismo ma-
tizado de Antonio Machado y el conservadurismo con inclinación a la mano fuerte de Azorín.

Tal imposibilidad quiere decir que, incluso aceptando las
premisas de que parten los propugnadores de la "generación

del 98", ésta, según con frecuencia dijeron Baroja, Unamuno y Maeztu, nunca tuvo realidad. La que ahora tiene es la de una ficción cómoda tras la cual se escuda el inmovilismo predominante. Pero las cosas están cambiando y muy pronto, deslindados los campos, habrá de procederse con mayor exigencia y con más rigor. El historiador y el sociólogo podrán excusarse, conforme Azorín se excusó en 1912, de "hacer un examen técnico, puramente literario" de las obras; el crítico, no. A éste le corresponde esa tarea. Bien está distinguir, como el pequeño filósofo distinguió, entre valor estético y valor social, pero el reconocimiento de esta posible y no siempre coincidente valoración impone la diferenciación correlativa entre estudios "literarios", en que se atiende ante todo a lo estético, y los dedicados a investigar la importancia histórica, política o social de fenómenos que pueden significar poco desde el punto de vista de la literatura.

Que varios escritores, desde perspectivas diferentes y con intenciones distintas, critiquen las estructuras sociales cuya insuficiencia padecen, es cosa de todos los días. Que en las últimas décadas del siglo XIX comenzara un gran movimiento universal de rebeldía contra los principios determinantes de esas estructuras y que ese alzamiento fundiera lo ético con lo estético o, mejor dicho, declarase una ética a través de la estética, eso es menos corriente y fue nota distintiva de la época modernista, durante la cual y dentro de un marco espacial muy vasto acontecieron diversos fenómenos, uno de los cuales fue la generación tan exaltada y deformada por la crítica desde 1912 hasta hoy mismo.

En otras ocasiones he señalado precedentes, próximos o remotos, de la actitud "modernista". Recordaré aquí que la identificación entre verdad y belleza, si en románticos como Keats estalla en fórmulas de todos conocidas, tiene largas raíces y puede ser rastreada desde Platón hasta el presente. Pareció perderse hace veinticinco o treinta años, pero, como era de prever, ha reaparecido, puesta al día, en las actitudes y en la obra de varios escritores actuales más cercanos a lo sustancial del modernismo de lo que ellos mismos creen.

Podrá objetarse que la consideración ética de lo estético se dio, con más o menos relevancia, en los "noventayochistas". Nadie lo niega, ni que las enseñanzas de don Francisco Giner fueran decisivas a este respecto. Otra cosa se olvida o se calla: tal circunstancia no es generacional sino epocal, como es asimismo común a los escritores del modernismo en todos los países la disidencia y el choque con los poderes constituidos. Los hispanoamericanos no se quejaron con menos amargura que los españoles de las miserias y tragedias de sus patrias respectivas, de la pequeñez de sus grandes hombres, de las oligarquías dominantes. El espectáculo presenciado por los de aquí "al advenir al arte y a la literatura" (dicho en palabras de Azorín) y el que "la gran corriente ideológica de 1870 a 1898" conduzca a la crítica social, son hechos y derivaciones universales. Es un período de revisión total, en el que nada, desde la teología a la geometría, deja de ponerse en duda, y el repudio de lo vigente se realiza sistemáticamente y a fondo.

La característica atribuida por Azorín a la generación del 98 de traer consigo un renacimiento, o sea, "la fecundación del pensamiento nacional por el pensamiento extranjero", lejos de ser peculiaridad de los peninsulares, es igualmente signo de la época, manifiesto con vehemencia en americanos como Darío, el del "galicismo mental" (don Juan Valera *dixit*); como Martí, exaltador de Whitman, o Julián del Casal, revestido en La Habana de pontificales chinoserías... No hace falta repetir lo de todos sabido sobre "influencias"; no se trata de eso, sino de las conexiones creativas que a través de múltiples líneas de comunicación se establecen entre escritores y les vinculan: a Ibsen con Galdós, a Galdós con Unamuno, a los parnasianos con Eça de Queiroz, a Eça con Valle, a Valle con... Cuento o cuenta de nunca acabar.

Renacimiento, en la acepción azoriniana de la palabra, fue el Modernismo, y como en su día señalaron Juan Ramón Jiménez y Federico de Onís, lo fue también por su analogía con el período histórico así llamado. El error de particularizar lo general, considerando fenómeno castizo lo acontecido en tantas partes, ha impedido observar afinidades de fondo y exaltado diferencias de superficie. Y no solamente en los críticos, sino en los creadores. Que Unamuno reaccionara contra quienes le llamaban "el tío modernista", negando no ya su adscripción al modernismo sino el modernismo mismo, no le impidió ser la figura más representativa de la época en España, con su antidogmatismo esencial, su insistencia en considerar el ser como diversidad de individuos, su concepción de la vida como representación en la cual el representante se identifica con su papel... La negativa a considerarse "modernista" es en parte consecuencia de su hostilidad a cualquier encasillamiento y afiliación, de su yoísmo apasionado, y no es ni más ni menos válida que su aversión a ser incluido en la supuesta generación del 98. Quiso ser su propio partido y su propia oposición, una totalidad en donde nadie, sino Dios, podía caber junto a él.

Cuando Azorín expuso por vez primera su teoría generacional presentó tres fechas de renovación de nuestras letras (en la edad moderna) por influencia de corrientes exteriores: 1600, 1760 y 1830. Fechas coincidentes con cambios de actitudes paralelos (aun cuando, muy distintos, claro está) al observado en los finales del siglo XIX. Basta cotejar esas fechas para comprobar su correspondencia con los períodos centrales del Barroco, la Ilustración y el Romanticismo, y, sin embargo, en ninguno de estos casos pretende Azorín deducir de sus observaciones una teoría literaria nacionalista como la que forjó al hablar de la "generación del 98". Quevedo y Cervantes, Feijoo y Forner, Espronceda y Larra, han sido siempre estudiados relacionándolos del modo más natural con sus pares de ultrapuertos, quizá porque hasta fines del siglo XIX no se hace tan obsesivo el sentimiento de inferioridad del español. Desde 1880 en adelante nuestros mandarines, incluido don Juan Valera, asistieron entre atónitos e incrédulos a un hecho que su orgullo se resistía a

admitir: los discípulos de ayer, los corifeos del mundo hispanoamericano habían cedido el paso a los renovadores modernistas capaces de captar directamente y antes que los españoles las
corrientes del cambio. Silva y Martí y Darío precedieron a Unamuno y a Machado y a Juan Ramón.

Si el español pensara un poquito menos en sí mismo, si no
fuera tan profesionalmente español, no le costaría tanto trabajo
aceptar los hechos según son y según fueron. Pero ni nosotros,
ni los demás, podemos esquivar las tendencias mitificadoras.
Y el caso estudiado es un ejemplo de mitificación, de desnatu-
ralización de los hechos para compensar con la extremosa construcción de una diferencia —y una superioridad— otros acontecimientos sin gloria. El 98 fue un desastre, el Desastre por
antonomasia, pero la "generación" surgida entonces fue glorio-
sa, española, castiza, celtibérica, etc., y lo uno compensa lo
otro. Y no estoy tratando de menoscabar la evidente grandeza
de los escritores del grupo, sino de sugerir que su universalismo
lejos de empequeñecerles les hace más grandes, y no menos
representativos de lo nuestro. No se reduce el españolismo de
Unamuno o el de Machado porque se marquen sus coincidencias —y, naturalmente, sus diferencias— con Dostoyevski e
Ibsen, con Verlaine y Pessoa. Relacionados con sus pares extranjeros, son más inteligibles.

El violento choque de la guerra con Estados Unidos impuso
un examen de conciencia, y sería ridículo negar, soslayar o atenuar la importancia del trauma. Con situar el acontecimiento
en su lugar, basta. El eternismo postulado por Unamuno frente al modernismo no depende de "accidentes" como la catástrofe finisecular; es más bien expresión de un anhelo interiori-
zante y duradero que hasta ayer mismo se contrapuso (incluso
por cabeza tan lúcida como la de Juan Ramón Jiménez) a la
"exterioridad" modernista. Unamuno "interior" y Rubén Darío
"exterior", solía decir el autor de *Espacio* al señalar los orígenes
de la poesía actual, y de contraposiciones como ésta se deriva-
ron consecuencias, luego degeneradas en lugares comunes, se-

gún los cuales los noventayochistas se caracterizan por su profundidad y los modernistas por su superficialidad, o cuando menos por conceder excesiva atención al ornamento, a la forma bella.

Es muy conocido y citado el poemilla de *Eternidades* donde Juan Ramón, al sintetizar el proceso de su evolución personal, habla de la poesía modernista como de "una reina fastuosa de tesoros", poniendo el acento en esa exterioridad de que más tarde —y no sin contradecirse— haría portaestandarte a Darío. Expresiones tales como "profundo" y "superficial", "interior" y "exterior" son vagas y engañosas; más oscurecen que iluminan. Aun aceptándolas como moneda corriente para las pequeñas transacciones diarias, resulta obvio que en cualquier gran poeta la oscilación entre lo mal llamado exterior y lo interior, el ir y venir de lo uno a lo otro es incesante. En Darío puede ilustrarse con reiteración ese ambiguo tránsito.

Las imprecisiones en el vocabulario crítico son dañinas y acaso inevitables. Será difícil eliminarlas si no se impone la convicción de que la crítica literaria está o debiera estar más cerca de la ciencia que del arte. Debemos aproximarnos al objeto poético con rigor y sin prejuicios, arrumbando de una vez pseudo-distinciones como la establecida entre lo interior y lo exterior. Unamuno se preguntó más de una vez si la profundidad no estaba en la superficie, y la pregunta se contesta sola tan pronto como se toma conciencia de que en arte no hay más agua que la que vemos correr, y que al referirnos a la obra literaria, palabras como "hondura" o "superficie" se emplean metafóricamente. Todo es forma, estructura verbal, y a estas alturas no es cosa de reincidir, con distinto nombre, en las caducas distinciones entre fondo y forma, en que se complacían nuestros colegas del siglo pasado. La constatación es tan lamentable como inexcusable: caducas y todo, todavía es frecuente ver emerger esas distinciones, zombies cenicientos, en páginas insospechadas.

Cuando Salinas caracteriza el modernismo hispanoamericano como intento limitado de renovación expresiva, y a la vez considera que la coetánea agitación intelectual española quiere llegar "a las mismas raíces de la vida espiritual", está cediendo a la tentación de separar lo inseparable, y también un poco al sentimiento de inferioridad ya dicho, disfrazado de complejillo de superioridad frente a lo que de dependiente había pasado a ser libre. Al decir de los noventayochistas: "verdades, no bellezas, es lo que van buscando", es injusto por implicación y sugerencia, pues reserva para los de esta orilla una intensidad de afán más trascendente que el de los ultramarinos.

La identificación verdad-belleza fue, según vimos, una de las finalidades del modernismo, siquiera en la literatura y en el pensamiento subsistan rastros de la dicotomía dantesca: para descubrir la verdad es preciso bajar a los infiernos, mientras para vislumbrar la belleza hace falta ascender al paraíso. Este doble movimiento es complementario, y nace de un impulso único: el deseo de conocerse y descubrir lo que está oculto "dentro del alma", como diría Antonio Machado, que no cesó de deambular en sueños por sus secretas galerías, llevado unas veces por la mano amiga de la ideal Beatriz y escuchando otras, solitario, el "rebullir" de fieras enjauladas en sótanos de sombra.

Disponemos hoy de perspectiva bastante para advertir que la inmersión de los modernistas hispanoamericanos en su circunstancia ni fue menor, ni tuvo consecuencias menos trascendentales que la de los "noventayochistas" en la suya. La preocupación de aquellos hombres por la realidad y el ser de Hispanoamérica (y no sólo de sus países respectivos) fue entrañable. Los escritores actuales, desde Lezama Lima a Octavio Paz, son sus beneficiarios y herederos, aun cuando no literalmente sus continuadores. La poesía y la novela hispanoamericanas han podido superar el modernismo porque lo aceptaron y lo asimilaron, fundiendo las tendencias indigenista y simbolista (y los descubrimientos y técnicas surrealistas) en esas creaciones deslumbrantes que son los últimos poemas de Paz o novelas como

Cien años de soledad, de García Márquez. Por no negarse a la fecundación y precisamente por su receptividad y porosidad pudieron los hispanoamericanos incorporar a su obra una porción de elementos que se perdieron para la literatura española.

Es urgente rectificar. Rectificación en la crítica, desde luego; si resultara posible, revelaría el comienzo de un cambio de actitud muy necesario. Renunciar al insularismo y universalizar nuestro casticismo (precisamente como hicieron los "modernistas") serían remedios oportunos y seguramente eficaces. Como lo sería poner un poco de orden en la crítica, harto inclinada a contemporizar con la mezcla de lo dispar y a exponerla sin el beneficio de una retórica suficiente. A los españoles no suele faltarles imaginación ni talento; en cambio, no siempre parecemos persuadidos de que el discurso crítico toma forma por su organización y por sus exclusiones, por la austeridad con que se acierte a eliminar lo superfluo aun siendo brillante y a evitar la tentación de la construcción airosa, pero hueca.

La conveniencia del cambio no quiere decir que hayan de desdeñarse textos como los de Azorín o estudios como los derivados de su invención del noventayochismo. Bastará con situarlos donde les corresponda, modificándolos en cuanto sea preciso para llevar la crítica por otro cauce más vasto y más limitado (más universal y más formalista), concentrándola en el análisis del texto. Claro está que a efectos de completar ese análisis no se rechazarán cuantas informaciones de distinto tipo puedan contribuir a aclarar lo estudiado, siempre que desde el principio se subraye el carácter auxiliar de ellas. Lo biográfico y lo histórico proporcionan valiosos elementos de juicio (y por creerlo así he escrito ensayos como "Ambiente espiritual de la generación de 1925" y "La generación de 1936"), pero esos elementos no pertenecen al orden crítico: sirven para desbrozar el terreno en donde se ha de trabajar luego. El cuidadoso estudio del texto, de lo sustancial y no de lo accidental, estimula el pensamiento y, a menudo, por la fuerza de la concentración misma, llega a hacerlo imaginativo, no tanto por sus seguridades como por sus vacilaciones, que inducen a tantear y a recorrer sendas mentales desacostumbradas, por si en esos tránsitos se encuentra la clave apropiada para la correcta comprensión de la obra.

Aún diría más: el estruendo en torno a "la generación del 98" se debió en buena parte a la inclinación a los estudios temáticos, que ni son los más indicados para desentrañar el problema de la creación literaria, ni dieron de sí gran cosa. En vez de utilizarlos para medir diferencias sirvieron a menudo para forzar semejanzas en cuanto al paisaje, España como abstracción, la muerte, Dios, el amor... Interesante, pero poco convincente. Si en lugar de fijarse en las coincidencias temáticas hubiera observado Azorín cómo esos temas eran tratados en las obras de sus coetáneos, habría visto hasta qué punto su concepción de España, por ejemplo, difería de la de Baroja, Unamuno, Valle o Benavente, y lo injusto de forzarlas en un marco que no por juntarlas las hacía más parecidas. Lo que tienen de común son los elementos epocales y de reacción frente a situaciones generales (y no sólo españolas). Las "indefiniciones" enumeradas por Pedro Laín en 1945 debieran ser exploradas y servir para esbozar un fondo más claro a la coyuntura histórica en que se produjo el modernismo. Esto ayudaría a simplificar las cosas y a establecer paralelismos, simetrías y divergencias entre lo nuestro y lo de fuera.

La teoría literaria, como disciplina en formación, exigirá para llegar a ser el despliegue de una voluntad desmitificadora vigorosa basada en el ascetismo crítico a que antes me referí. El mito aquí discutido lo inventó Azorín, que no era propiamente un crítico literario, sino algo distinto y más singular: un escritor para quien la literatura era vida. Algunas de las páginas más bellas de *Castilla* y de otros libros suyos son antológicas, "literatura" de primer orden, y no se las disminuye, se las realza, diciendo de ellas que no son crítica sino creación de calidad y rareza únicas.

Literato puro, en sus manos todo se convertía en literatura. De Castilla lo dijo él mismo: "a Castilla la ha hecho la literatura". Claro. Como al amor y a la amada los hace la poesía. (Y nadie expresó esta verdad mejor y más sobriamente que Antonio Machado.) La poesía y la literatura son productos de la imaginación; la crítica, no. Por eso son aceptables las invenciones del paisaje, de la mujer, del amor y repudiable la de la "generación" de marras, salvo si decidimos considerarla como ficción imaginativa y no como estructura críticamente válida. Aceptarla por lo que no es, tomar la fantasía por verdad equivale a situar el comentario crítico sobre terreno movedizo, inseguro, y a moverse en el ámbito de la interpretación suplantadora de la realidad.

No acabaré estas líneas sin declarar que tengo conciencia de los riesgos del formalismo. Reducir el estudio de la obra literaria al análisis de sus técnicas puede ser una limitación, pero la limitación no es artificial sino genuina: el empeño propiamente crítico, el que puede llevarnos al meollo de la creación y de sus problemas es el estudio de su forma, es decir, el estudio técnico realizado a nivel de la obra y desde dentro de ella. Todo lo demás son aproximaciones, acercamientos que no pueden reemplazar el análisis de la textura y contextura del objeto poético, de cuanto es en él, a la vez, expresión y significación.

RUBÉN DARÍO, ESPAÑA Y LOS ESPAÑOLES

Las relaciones entre Rubén Darío y Francia fueron minuciosamente estudiadas, hace más de cuarenta años, por Erwin K. Mapes. Las de Darío y España todavía no lo han sido con tal extensión y cuidado aunque no faltan valiosos estudios parciales [1]. No es ésta la ocasión de intentar una exposición detallada de esas relaciones, más importantes que las mantenidas con lo francés, pues por mucho que Darío recibiera de la cultura francesa no es posible soslayar el hecho de que se trata de un poeta de nuestra lengua, inserto en una tradición que él mismo afianzó al renovarla. Y es en lo hispánico donde dejó huellas tan vigorosas que buena parte de la poesía escrita después de la suya, o le sigue, o le contradice, en natural y no sé si inevitable movimiento de reacción frente a su obra.

Me limitaré aquí a resumir lo esencial. Apenas salido de la adolescencia le encontramos emulando a Bécquer o, más curiosamente, narrando en verso la evolución de la poesía de lengua española desde el poema del Cid a Andrés Bello y José María de Heredia. Más tarde, en 1892, con ocasión de su viaje a España como secretario de la delegación nicaragüense enviada para asistir a las fiestas conmemorativas del cuarto centenario del

---

[1] Como, por ejemplo, los de Arturo Torres Rioseco: "Rubén Darío y España", en *Vida y poesía de Rubén Darío*, Emecé, Buenos Aires, 1944, págs. 161-191, y José A. Balseiro, en *Seis estudios sobre Rubén Darío*, Gredos, Madrid, 1967, págs. 17-55.

descubrimiento de América, Rubén Darío, cuyas amistades americanas eran ya numerosas, conoció y trató a los más notables poetas y escritores españoles de aquella hora crepuscular: Valera, cuyos artículos sobre *Azul* atrajeron la atención de muchos que sin ellos tal vez hubieran tardado en percatarse de la significación del joven poeta; Núñez de Arce, que se esforzó por retenerlo en España, buscando para él un puesto o destino; Menéndez Pelayo, a quien sorprendió con su preciso conocimiento de los clásicos castellanos y su aptitud para imitarlos; Zorrilla, una de las admiraciones de su juventud; Campoamor, cómodamente arrellanado en su reputación de poeta filósofo, especie de buen abuelo de la literatura de entonces; doña Emilia Pardo Bazán, fenómeno único en las letras hispánicas de aquel momento histórico regido por las barbas; Castelar, el orador elocuente y conversador excepcional cuya muerte años después daría ocasión a uno de los más notables artículos darianos... [2]. Incluso llegó a conocer al fabuloso Miguel de los Santos Álvarez, el íntimo de Espronceda, superviviente del movimiento romántico y figura casi mítica que le impresionó porque a través suyo imaginó que podía tocar la viva presencia de una época abolida. Entre los de menos edad, conoció a Salvador Rueda, el malagueño que más tarde le disputaría vanamente la primacía en ciertas innovaciones "modernistas"; para su libro *En tropel* escribió como prólogo el poema titulado "Pórtico".

Regresó a España de nuevo en los primeros días del año 1899. Volvió como enviado especial de *La Nación* de Buenos Aires, para informar de la situación en que se encontraba "la madre patria" después de la guerra con Estados Unidos. Su primera impresión fue desoladora: España no parecía capaz de reaccionar; seguía sin pulso, sacudida por esporádicas ráfagas de violencia. En lo intelectual, el panorama era también de decadencia: los grandes hombres de ayer, o muertos o aparentan-

---

[2] Y uno de los textos que, en opinión de Juan Ramón Jiménez, muestra mejor la influencia de la prosa de José Martí en la de Darío.

do un resto de vida, estaban fuera de la circulación, cadáveres insepultos. Los jóvenes no tenían talento bastante para llenar los huecos dejados por aquellos: Salvador Rueda, Manuel Reina, Ricardo Gil o Vicente Medina, poetas del litoral, no eran mucho más, a juicio de Rubén, que discretas medianías. Por eso los artículos enviados a *La Nación* no podían ser sino pesimistas; sólo lentamente, atraído por el pueblo español mismo y por grupos de intelectuales jóvenes, empezó a descubrir signos de mejoría.

Su crítica fue dura porque fue sincera, pero no más dura que la de los escritores nacientes con quienes en esta segunda visita a España empezó a relacionarse, y que, no tardando, en buena parte se agruparían alrededor suyo. Esa sinceridad que le hizo arremeter con tanta justicia contra las estantiguas de la Academia, le llevaría a reconocer como iguales, y aun como maestros, a gente como Miguel de Unamuno, que alguna vez le trató con rigor al que nadie le había acostumbrado. Su lenguaje, al dirigirse al rector de Salamanca, es otro del que usaba para aludir despectivamente a Rueda ("yo que le crié poeta"). "Podrá haber diferencias mentales entre usted y yo —le dice a don Miguel—, pero jamás podrá decirse que no reconozco en usted —sobre todo, después de haberle leído en estos últimos tiempos— a una de las fuerzas mentales que existen hoy, no en España, sino en el mundo." Y resulta patético cuando, en respuesta a una desdeñosa alusión, le oímos pedirle "alguna palabra de benevolencia para sus esfuerzos de cultura" y, sobre todo, que sea "justo y bueno", según al fin lo fue Unamuno, aunque tardíamente, en aquella patética confesión publicada a la muerte del poeta y titulada precisamente: "Hay que ser justo y bueno, Rubén".

Pedro Salinas indicó hace años que a Darío "debió de arraigarle mucho en su hispanismo el ver cómo los poetas nuevos de España hacían causa común con su reforma, y le aclamaban con entusiasmo, por su jefe". Y no hablando como crítico, sino como testigo, refería que cuando aparecieron los *Cantos de vida y esperanza,* "Rubén era más que un poeta admirado, que un guión arrebatador: tocaba en ídolo". Sin atreverme a decir tanto, me permitiré añadir, a título de testimonio personal, que en mi Astorga natal, todavía mi generación asoció el descubrimiento de la poesía al descubrimiento de Rubén (del "peor" Rubén, según la estimación actual: el de la princesa triste y la marquesa Eulalia). No es extraño que las admiraciones de que Darío se vio rodeado y el reconocimiento de tan claros talentos como advertía en el grupo de sus nuevos amigos, le persuadieran de que el mañana de España era menos sombrío de lo que pensara al desembarcar en Barcelona en enero del 99. Lo más importante —creo yo— es el hecho de que los jóvenes le enseñaron a ver España de otra manera, o mejor dicho, a ver otra España, menos tópica y más trágica que la visible a través de Valera y Zorrilla.

Al dejar la península, en 1900, Rubén pensaba de manera distinta a como lo hiciera a su llegada. Había constatado el empuje de la generación ascendente, conocido a Jacinto Benavente y a Azorín, trabado amistad con Valle-Inclán y Villaespesa, llamado a Madrid al jovencísimo Juan Ramón Jiménez, a quien dio título —*Almas de violeta*— para un primer libro (años después a él le confiaría la edición de los *Cantos de vida y esperanza*). Cuando estos hombres le llamaron a colaborar en sus revistas (*La Vida Literaria,* dirigida por Benavente; *Revista Nueva,* dirigida por Ruiz Contreras; *Helios* y *Renacimiento,* pilotadas por Juan Ramón y Martínez Sierra) se sumó a ellos sin vacilación. Villaespesa, el entusiasta incansable, los Machado (Manuel fue secretario suyo, en París, más adelante), Ramón Pérez de Ayala, Ramón del Valle-Inclán…, todos estuvieron a su lado.

Su diagnóstico cambió: no estaban muertas las letras españolas, y por la estimación y la amistad que sintió hacia esos y otros escritores, Rubén Darío acabó incorporándose a ellas, sintiéndose uno más, el que ha venido de fuera y sin saber cómo, de pronto, se encuentra dentro, conforme andando el tiempo ocurriría a Alfonso Reyes, a César Vallejo, a Pablo Neruda...

Rubén estaba en las calles, en el Ateneo, en las redacciones, en las tertulias. De su presencia en la del café Pidoux queda una preciosa instantánea tomada por Juan Ramón Jiménez y correspondiente al momento en que Valle-Inclán lee en voz alta el poema *Cosas del Cid,* de Rubén Darío, recién publicado en *La Ilustración Española y Americana.* Mientras Valle lee, el autor de los versos escucha: "Rubén Darío, chaquet negro y negro el sombrero de media copa, totalidad estropeada, soñolienta, perdida. Valle, pantalón blanco y negro, cuadros, levita café y sombrero nuevo de tubo, deslucido todo. Rubén Darío estalla sus galas con brillo; a Valle, la gala opaca funeral le sobra y le cae por todas partes. Rubén Darío, botarga, pasta, plasta, no dice más que *admirable* y sonríe un poco, linealmente, más con los ojillos mongoles que con la boca fruncida. Valle liso, hueco, vertical, lee, sonríe abierto, habla, sonríe, grita, sonríe, aspaventea, sonríe, va y viene, sonríe, entra y sale. Salen. Los demás repiten *admirable, admirable,* con vario tono. *Admirable* es la palabra alta de la época; *imbécil,* la baja. Con admirable e imbécil se hizo la crítica modernista. Rubén Darío, por ejemplo, admirable; Echegaray, por ejemplo, imbécil...". Y no sólo en la vida se encuentra juntos a Rubén y a Valle. Por *Luces de bohemia* transitan juntos Darío y Bradomín, y en la *Sonata de invierno* descubrió un crítico sagaz —Melchor Fernández Almagro— "reminiscencias inequívocas" de la rubendariana *Marcha triunfal.*

Así, Rubén se instaló en la poesía española; tomó de ella muchas cosas buenas (con algunos lugares comunes de la ropavejería nacional) y le dio primores y refinamientos que no tenía. Si llamarle fundador me parece exagerado, porque su obra se insertó naturalmente en el contexto de la literatura de nuestra lengua, sí fue uno de los agentes más activos —aunque no el primero— de la necesaria renovación y quien más contribuyó a desarticular la rígida armazón de la topiquería tradicional. No rehúye los tópicos, y aun se deja seducir por ellos, pero los hace sonar de distinta manera y ese nuevo son los convierte insensiblemente en otra cosa, en temas para ejercicios líricos. ¡Y qué atento estuvo a quienes le seguían y tal vez le adelantaban! Puso prólogo en verso a *Ninfeas* de Juan Ramón, saludándole como quien era:

> ¿Tu corazón las voces ocultas interpreta?
> Sigue entonces tu rumbo de amor. Eres poeta.
> La belleza te cubra de luz y Dios te guarde.

Y cuando apareció *Arias tristes* (1903) le dedicó un artículo de exaltación y entusiasmo: "desde Bécquer —escribió— no se ha escuchado en este ambiente de la península un son de arpa, un eco de mandolina, más personal, más individual". Apenas será preciso recordar que fue de los primeros en reconocer la autenticidad de Unamuno como poeta, ni que dos de sus sonetos más celebrados los escribió en alabanza de Valle-Inclán, el "gran don Ramón de las barbas de chivo", o que dedicó a Antonio Machado, quizá (contra lo que decían leyendas caducadas) el más rubendariano de los modernistas españoles, la más intensa y portentosa de sus adivinaciones e identificaciones, presentándole "misterioso y silencioso", moviéndose, a la vez tangible y espectral, en un mundo que siendo el cotidiano se le aparecía transfigurado en profundidad. Situar al poeta en la distancia, cabalgando hacia el "imposible" en el alado corcel de la poesía, es un acierto definitivo, al lado del cual palidecen los demás retratos escritos por él.

Estas relaciones con escritores y poetas vivos, con mucho futuro ante sí, contribuyeron decisivamente a que Rubén Darío tomara conciencia de la unidad esencial de la poesía de lengua española, no ya pasada —que eso era obvio— sino futura; la *Salutación del optimista* es la más resuelta expresión de sus sentimientos esperanzados, y no solamente referidos a la poesía, sino a los pueblos:

Porque llega el momento en que habrán de cantar nuevos himnos
lenguas de gloria. Un vasto rumor llena los ámbitos;

mágicas ondas de vida van renaciendo de pronto;
retrocede el olvido, retrocede engañada la muerte;
se anuncia un reino nuevo...

Esperanzas líricamente hermosas, pero —apenas es preciso decirlo— tan inoperantes entonces como ahora. Por eso, aunque
Maeztu y otros entendieron estos versos como "el único himno
hispanoamericano que tenemos", y sobre himno lo entendieron
augurio, yo diría que no es aquí sino en el primer poema de
Los cisnes donde Rubén dijo su palabra con poesía y con verdad. Es en éste donde se dirige al cisne español haciendo suya
la interrogación de su "cuello divino":

> ¿Seremos entregados a los bárbaros fieros?
> ¿Tantos millares de hombres hablaremos inglés?
> ¿Ya no hay nobles hidalgos ni bravos caballeros?
> ¿Callaremos ahora para llorar después?

Hay un presentimiento auroral en el fondo de estas líneas, que
se niegan a ser un acta de defunción, y figuran, después de todo,
en un libro presentado bajo el signo de la vida y el de la esperanza. Recuérdese cómo en el poema siguiente saluda al Rey
Oscar de Suecia y le agradece el "Vive l'Espagne!" lanzado
por el monarca sueco al pisar tierra española. Ninguno de los
allí nacidos hubiera podido decir mejor que como dijo entonces
Darío, con exaltación afirmativa y hermosa:

> ¡mientras haya una viva pasión, un noble empeño,
> un buscado imposible, una imposible hazaña,
> una América oculta que hallar, vivirá España!

¡Qué cabal identificación con los mitos y aun con la retórica de la patria española! Puede comprenderse que a quien escribió estos versos tan vigorosamente adscritos a lo hispánico,
nadie de los nuestros le haya considerado extranjero. Y si es
verdad que nunca los españoles piensan como tales a los hispa-

noamericanos, en el caso de Rubén el matiz es diferente: no ya negador de su extranjería, sino afirmador de su españolidad. ¡Cuántos hombres nacidos en la península nos parecen más ajenos que el poeta de Nicaragua! Cuando a su propósito se habla de galicismo mental, yo recuerdo siempre poemas como *Cyrano en España,* ejemplo perfecto de fusión de dos mitologías, la francesa y la española, con su constante ir y venir de lo uno a lo otro, de Cyrano a don Quijote, del Cid a Rolando, de Molière a Tirso, de la Gascuña a la Mancha... Un mundo poético como el de Rubén no se alza sobre exclusiones, sino sobre la integración de diversidades (y de diferentes versiones de una corriente cultural), que en la lírica, como debiera acontecer en la realidad, lejos de oponerse se complementan con ejemplar armonía.

Nobles caballeros, místicas monjas, figuras de historia y de leyenda van apareciendo en la poesía rubendariana de estos años. Cervantes, Goya, Valle-Inclán, Campoamor, Antonio Machado se convierten en "temas"; Manuel Machado, Juan Ramón Jiménez, Gregorio Martínez Sierra, Navarro Ledesma y otros aparecen en las dedicatorias. *El canto errante* (1907), *Poema del otoño* (1910) y *Canto a la Argentina* (1914) se publicaron por vez primera en Madrid, como los *Cantos,* y en esos libros siguió dándose de alta el españolismo del poeta, quien primero en las ciudades de Andalucía y, luego, con más asiento, en Mallorca, encontró lugares de descanso y hasta un refugio (por debilidad suya, fácilmente accesible a las tentaciones que acabaron destruyéndole) que dio ocasión a algunos de los versos más serenos de esta época ya tardía de su vida. En Mallorca, en la Cartuja de Valldemosa, sintió con apremio el ansia de una paz en que le fuera dable escuchar la música celestial, música que tal vez sería posible trasladar al poema, haciendo de los números palabras:

> Sentir la unción de la divina mano,
> ver florecer de eterna luz mi anhelo,

y oir como un Pitágoras cristiano
la música teológica del cielo.

No por casualidad estos versos y otros de análogo alcance
fueron escritos en esos años. Sentimientos, inquietudes operantes en profundidad, estaban determinando en su poesía un cambio sustancial (y digo sustancial para subrayar que alcanzaba lo
más entrañable, aunque ante todo y necesariamente el cambio
se manifestara en lo formal). Su mejor poesía fue escrita en
este siglo, e implica, cuando menos, una alteración en la proporción de los componentes de la sustancia lírica, acentuando
las tendencias espiritualistas y transfigurando parcialmente otras
inclinaciones. Los mitos hispánicos, como los americanos, sus-
citaban en su corazón y en su cerebro resonancias afectivas, pero
más le preocupaban las preguntas sobre el destino que acabaron obsesionándole. No es sorprendente que el pitagorismo, visible en algún fragmento de *Prosas profanas,* pesara más junto
al mar latino, donde, según declara en "Eheu!", sintió su anti-
güedad y multiplicidad, y se pensó (expresándolo en las metáforas de la reencarnación) reviviendo formas de vida milenarias.

"Pido exegetas andaluces", dijo (en el prólogo a *El canto
errante),* tal vez por creer que los andaluces, por sus dones y
tradiciones, sabrían encontrar en su poesía "el ángel" que la
habitaba, en convivencia no imposible con el cerdo y el cisne;
ese "ángel" no es solamente el de la gracia artística sino el
mensajero de las sombras altas y bajas que el poeta se esforzaba
en penetrar o, mejor dicho, hacia las que se sentía atraído, pre-
sintiendo en ellas la clave de la poesía, la cifra justificadora y
ennoblecedora del canto. Sus poemas fueron cargándose de inquietudes metafísicas que eran, además y por encima de todo,
expresión de preocupaciones personales. Los *Cantos* terminan
con el poema "Lo fatal", que expresa con inequívoca claridad
la angustia existencial, angustia que en los libros siguientes
aflora con frecuencia, afirmando una fe a lo Unamuno, hecha
de dudas; insinuando una vacilación de ondas tan prolongadas

que alcanza a revelar, tras la esperanza proclamada, el oscuro susurro desesperado que la acompañaba en sordina, vago contrapunto, apenas audible a veces, y resonante otras, sordamente, como el agua bajo las rocas, en el acantilado.

Y éste es el Rubén más grande: el que va dejando atrás el preciosismo para atenerse a la expresión intimista, pasional, desnuda. La palabra se le hizo inseparable de la emoción, y ésta y la intuición se fundieron y confundieron en un modo de contacto apasionado con el mundo. Se angustia porque constata la posibilidad de que la existencia no tenga sentido, de que esté llamada a desembocar en la muerte total, en la nada presidida por el machadiano Gran Cero en que Dios se había convertido. Sólo le quedaba, en definitiva, una posibilidad de salvación: la palabra, refugio contra la aniquilación total y único modo a su alcance de expresar la protesta contra el destino, y aún de vencerlo, haciéndola inmortal.

Y, por supuesto, la palabra, la creación era un acto de amor, y el amor en Rubén fue vida y razón de vida. El erotismo tiene en su lírica el prestigio de una religión: sacrificar al amor es sacrificar a los dioses; sus fiestas de amores son a la vez fiestas de deslumbrante paganismo o de turbio y mal definido catolicismo. La satiresa corre desnuda bajo frondas paganas, pero la "sonámbula con alma de Eloísa" se integra en el marco de una misa instrumentada para exaltar su belleza. El erotismo se carga de religiosidad, y no como alguna vez se ha creído, para añadir a las delicias sensuales el tinte de una excitación pecaminosa, sino, mucho más sencillamente, porque el amor, antes de que la sociedad lo destruya, institucionalizándolo, está constituido por un impulso a la fusión con el amado, análogo al experimentado por el místico en su ascensión hacia el éxtasis, que se alcanza, como mostró San Juan de la Cruz, por voluntaria supresión y hasta aniquilación del ser, para facilitar la absoluta entrega e identificación con Dios en que el éxtasis consiste.

Admirable y previsible humanidad la de Rubén, que, acosado por los siete pecados capitales y cercado por los fantasmas del miedo, fue capaz de encontrar la mano —ancla, lazarillo— de una mujer en quien renacía la sencillez y plenitud de lo eterno femenino y la tradición de la compañera sin literatura que mejor podía entenderle, sin entenderle. Su relación con Francisca Sánchez, castellana de Ávila, empezó, como es sabido, en Madrid y por azar, y no acabó sino con la muerte. Es decir, acabó en términos materiales, pues en otro sentido, y no solamente metafórico, al convertirse en sustancia poética adquirió consistencia más duradera, y si no invulnerable de modo absoluto, invulnerable por lo menos a la degradante erosión del tiempo envejecedor.

Francisca es, acaso, el ser humano que más contribuyó —sin proponérselo— a alterar las actitudes de Rubén frente a la vida, y aunque entre los dos y contra los dos se interpusieron y concitaron tantos mezquinos, con ayuda de ella, y por su presencia, pudo el poeta combatir el erotismo agónico que le poseía, haciéndole sentir incesantemente lo precario de la vida y del ser. El erotismo fue así sublimado en la calma de una unión duradera, no sujeta a dictado social. Francisca le dio mejor razón de vida, porque su relación con ella se fundó sobre motivaciones menos huidizas que el placer sexual, llevando a su vida y a su sueño realidades sencillas y misteriosas:

> Alma sororal y oscura,
> con tus cantos de España,
> que te juntas a mi vida
>   rara,
> y a mi soñar difuso,
> y a mi soberbia lira,
> con la rueca y el huso,
> ante mi bella mentira,
> ante Verlaine y Hugo,
>   ¡tú que vienes
> de campos ocultos y remotos!

La rueca y la lira, la mentira vestida y la verdad desnuda, y sobre estos contrastes, declarados o implícitos, la tranquilizadora presencia de una feminidad para quien "la ciencia del vivir" no era de ningún modo eso, ciencia, sino instinto, naturaleza, un ser que sin ni siquiera pensarlo ("casi inconsciente") aquietaba los dolores del poeta, pues al relacionarle de algún modo con la eternidad, calmaba o adormecía el terror ante la muerte que cada año le angustiaba más. Quería tenerla a su lado, poder apoyarse en ella; por eso en la parte final de los poemas que dedicó a esta mujer, a *su* mujer, pues en verdad nunca tuvo quien igual lo fuera [3], aunque tantas atravesaran por —o se atravesaran en— su vida, anhelante de piedad, la pedía:

> Ajena al dolor y el sentir artero,
> llena de la ilusión que da la fe,
> lazarillo de Dios en mi sendero,
> Francisca Sánchez, acompáña-mé...

Al erotismo desesperado, expresión y a la vez causa de la angustia, le sucede ese caminar por la paz del sendero junto a quien podía elevarse "al amor sin comprender", con paciencia inagotable de terrón oscuro, dándole soberana lección de buen amor. El camino podía recorrerse mejor en compañía de la mujer que por su calma de cosa indestructible parecía enviada para hacérselo menos penoso, tranquilizándole. Las sombras seguían estando allá; lejos, no tan lejos, cerca, allí mismo, pero teniéndola a su lado no presentaban el mismo cariz amenazante:

> ¡Hacia la fuente de noche y de olvido
> Francisca Sánchez, acompáña-mé...

---

[3] No olvido, claro está, su matrimonio juvenil (1891) con Rafaelita Contreras, ni el que a punta de pistola fue obligado a contraer (1893) con Rosario Murillo.

Del campo castellano, de las entrañas madres de la intrahistoria, salió quizá lo mejor que España pudo dar vitalmente
a Rubén. Gracias a esta mujer podemos los españoles sentir
que nuestra deuda con el gran poeta ha sido en parte saldada.
Sólo en parte, claro, pues Rubén ha sido tan generoso con nosotros que esa deuda es en definitiva impagable y hermosa. ¡Qué
dulce deberle tanto y agradecerle tanto! Deberle, incluso, el
haberse sentido "español de América", abriéndonos así las puertas para una equivalencia que nos consiente imaginarnos siquiera, "americanos de España".

Y lo que todos le debemos, a uno y a otro lado del Atlán-
tico, es haber ensanchado la palabra española y haber hecho posible una renovación cuyo supuesto decisivo consistió en mostrar que la variedad del mundo hispánico no solamente no se
opone al mantenimiento de la unidad cultural sino que al que-
brantar su artificial monolitismo la robustece, enriqueciéndola
y flexibilizándola. A españoles e hispanoamericanos nos hizo
ver que si renunciamos a nuestros provincianismos y aceptamos, como es fatal, esa unidad tejida de diversidades, nuestra
lengua y nuestra literatura pueden acceder a una grandeza que
de otra manera les sería negada.

MACHADO REZA POR DARÍO

Para escribir un retrato lírico perfecto de Antonio Machado le bastó a Rubén Darío hacer dos cosas: mirar dentro de sí y recordar el tono y la textura de la poesía machadiana. Pudo así componer un retrato fiel al modelo y fiel al pintor, parecido a Antonio y semejante a Rubén. Si aquél lo hubiera escrito, no habría sido diferente, como puede verse leyendo una versión del poema que sólo en una palabra difiere de las conocidas. Hagamos juntos, lector amigo, la curiosa experiencia:

Misterioso y silencioso
iba una y otra vez.
Su mirada era tan profunda
que apenas se podía ver.
Cuando hablaba tenía un dejo
de timidez y de altivez.
Y la luz de sus pensamientos
casi siempre se veía arder.
Era luminoso y profundo
como era hombre de buena fe.
Fuera pastor de mil leones
y de corderos a la vez.
Conduciría tempestades
o traería un panal de miel.
Las maravillas de la vida
y del amor y del placer,
cantaba en versos profundos

cuyo secreto era de él.
Montado en un raro Pegaso
un día al imposible fue.
Ruego por Rubén a mis dioses;
ellos lo salven siempre. Amén.

El temple y el acento de la notable oración son tan machadianos que no sorprendería descubrir una réplica del texto firmada por don Antonio y dedicada, como aquí, a Darío. Para
tener un poema que encaje perfectamente entre los de *Soleda-
des, galerías y otros poemas,* pongo por caso, será suficiente
poner, como yo hice, Rubén donde antes leíamos Antonio. El
lenguaje no difiere y lo dicho allí puede aplicarse al autor de
Cantos de vida y esperanza, no menos misterioso y no menos
silencioso que su amigo. De hecho, cierto día, comentando el
poema con un grupo de estudiantes, me sorprendí atribuyéndolo a Machado. Aun sin auxilio de Freud pude entender el mecanismo del error: subconscientemente había captado la identificación que ahora trato de explicar.

Leyendo esos versos, el homenaje de Rubén me parece todavía más hondo y cabal de lo que confesadamente intentaba
ser. De modo o deliberado o instintivo escribió algo que además de ir dedicado a Machado y describirlo (más por dentro
que por fuera), adopta formas machadianas en todo, desde lo
mágico a lo rítmico, subrayando el elogio con una tentativa de
unión espiritual que resultó perfecta. Y esa perfección se logró
porque las semejanzas no nacían de un propósito paródico, sino
de una coincidencia en el estilo del vivir y del poetizar.

Si hay dos palabras que puedan servir para resumir en una
línea la actitud de ambos poetas y la imagen que ofrecían a
quienes les frecuentaron sin tal vez advertir su rareza, esas palabras serán las reunidas en la primera línea del poema: misteriosos y silenciosos, se envolvieron en un silencio, que si en
Machado parecía indicio de timidez, en Darío sugería enigmas
y no sé qué indescriptibles sombras.

No menos exactamente se ajustan a Rubén los restantes adjetivos de la "Oración". También él podía ser tímido y altivo, como era luminoso y profundo. Y su vivir en la inquietud y a veces en la obsesión dejó ver en tanto poema traspasado de luz la de sus pensamientos hecha llama. Como bueno le reconocieron (incluso, tardíamente, el hosco Unamuno) y se reconoció, y nadie, ni Machado mismo, cantó, después de Lope, con más transparencia (ésta es, exactamente, la palabra) "las maravillas de la vida / y del amor y del placer".

Quizá Antonio marchó alguna vez al imposible "montado en un raro Pegaso", pero ese anhelo, más que en él, se encuentra en Rubén, desgarrado desde pronto por un ansia irresistible de perder la conciencia haciéndose otro, perdiendo en el sexo, y más a menudo en el alcohol, el ser que detestaba, y buscando lúcidamente las alas de la poesía para trascenderse. La plegaria final por la salvación de Antonio es eco del patético clamor de Rubén por un áncora de salvación que le ayudara a soportar su atormentadora ansiedad. En esas líneas es Machado, convocado e invocado por Darío, quien reza por éste, aunque, para no exponerse tan al desnudo, los nombres aparezcan trocados.

Entendido el poema como duplicación del que Antonio pudo escribir; como incitación significante y reveladora en donde se marca con la coincidencia la confidencia, resulta claro por qué desde el primer momento los lectores han considerado esta página tan genuinamente parecida a su inspirador. ¡Claro! No solamente se le describe desde dentro, desde una esencial afinidad de actitud, con absoluta sinceridad y verdad, sino que la descripción se realiza utilizando signos verbales y modos de escribir que permiten reconocer de golpe y sin equívoco al modelo. Genial intuición: escribir en homenaje a Machado un poema de Machado mismo, y escribirlo fuera del tiempo, puesto que es en lo intemporal donde la comunidad lírica se afianza, adquiriendo consistencia firme y duradera. Retratado y retratista son un mismo ser instalados ya en la eternidad, no solamente juntos, pero fundidos en el poema. Así lo quiso el autor,

desde el punto en que se supo o se sintió intercambiable con
el modelo.

El espacio "mágico" en donde la figura se inserta es el tí-
pico espacio machadiano, el espacio del espejo, con esta decisiva sorpresa: la figura que se asoma al cristal es la de Antonio,
pero la reflejada resulta ser la de Rubén. Y el proceso de identificación sugiere, o más bien muestra, la reducción de la distancia hasta el punto de anularla. Nada los separa. Quedó así
señalada la comunidad de los poetas en el poema. Que esto se
lograra deliberada o reflexivamente es cuestión de importancia
secundaria. Quizá en el curso de la creación y por la torsión
hacia adentro, el mirar dentro de sí a que me referí al empezar, las palabras de la confesión, las palabras que declaraban
cómo era y cómo se sentía, acudieran a la pluma de Rubén integradas ya en la intuición; es probable que tuviera alguna
conciencia de que al escribir esta oración estaba haciendo lo
que Machado había hecho tantas veces a la inversa: tomar la
voz del otro e incorporarla a la suya. Al homenaje explícito se
unía el indirecto, más sutil y sin duda más penetrante, porque
subraya la identificación.

Y me complace pensar así a los dos poetas, recordando que
Machado, a su vez y hasta el final, permaneció fiel a esa unidad
ideal, tomando para sí palabras de Darío. En un soneto de los
agregados a *Azul*, en 1890, refiriéndose a la sensual Carolina,
se dice que el rostro de la muchacha era "como una rosa roja
que fuera flor de lis". Casi medio siglo después, en junio de
1938, cerca ya de su triste final, al trazar don Antonio las que
fueron líneas de despedida a Federico de Onís, escribió:

> Para ti la roja flor
> que antaño fue blanca lis,
> con el aroma mejor
> del huerto de Fray Luis.

LA JUBILACIÓN DEL CISNE

Para retirar de la circulación al cisne modernista, torcerle el cuello no sólo era procedimiento cruel sino inadecuado. La muerte del héroe antes le constituye que le destruye. Quien de verdad quiera arrumbarlo y sepa lo que se trae entre manos, optará por métodos menos expeditivos, que a la larga producirán el resultado que se desea: cargarlo de trofeos, jubilarlo y buscarle un sucesor que sea diferente.

González Martínez imaginó que podría liquidarse al cisne dedicándole un soneto más, escrito con otra intención pero en la misma forma y con idéntica solemnidad que los textos rubenianos que le instituyeran en símbolo del modernismo. Atmósfera, lenguaje y tono seguían siendo los del inmediato pasado y en el soneto, aunque amenazado de muerte, continuaba bogando el mitológico animalito. Y todavía, para sustituirle, no proponía el poeta mejicano sino más de lo mismo, combatir el mito con el mito y sustituir al amante de Leda con el búho de Minerva.

Búho, avechucho de filósofos, demasiado solemne para representar a la poesía. No es sorprendente que la tentativa fracasara y el cisne continuara en su impertérrita blancura surcando los mágicos lagos del modernismo, que se prolongaba y estiraba extendiendo sus fronteras temporales y espaciales hasta alcanzar límites mucho más vastos que los imaginados inicialmente. En el borde, señalando el final de una época y el comienzo de otra con la imprecisión borrosa que las separa (nunca una línea definida, tajante, sino entrantes y salientes, zonas indecisas, puntos indefinidos), acechaba el esperpento, forma diferente en que se declaró una manera de ver distinta, otra actitud frente a la realidad y frente a la literatura.

¿Esperpentizar al cisne? Ni siquiera eso, al menos directamente; bastaría con hacerlo por implicación, sugiriéndolo oblicuamente, poniendo en lugar de su inviolada belleza una imagen que, desde el punto de vista de quien la utiliza, es, por contraste, caricaturesca: la del pato, prosaico animal cuya presencia, andar, graznar, picotear, parece (no digo que objetivamente lo sea) ridícula desde la perspectiva modernista. Ridículo, y también simpático en esa torpeza o pseudo torpeza de sus movimientos (neutrales, si los mira el naturalista), en la falta de gracia. Un bufón donde hubo un príncipe. No apto para utilización mitológica; más apropiado para chocarrerías de Brueghel que para éxtasis del Giorgione.

Y fue Juan Ramón Jiménez quien entronizó al pato en un delicioso romance escrito en Coral Gables, en los años cuarenta, y menos conocido de lo que merece. Se titula *Anadena de Bocarratón*, con nombre y apellido tan expresivos como todo lo demás del poemita, escrito con ironía y ternura, con precisión y con gracia:

> ¿No eres tuya ni de nadie?
> Eres tonta, Ana de Nade.
> Con tus patas entras, sales
> de las firmes soledades.
> Tus salteos verticales
> no se avienen con los planes.
> Van y vienen, zipitape,
> tipizape, subes, caes.
> (¡Ánsar, ganso, pato, ánade,
> ven por ella, que es tu ave!)
> ¡Pata, gansa, ánsar, Ana de

nadie, vete con tu ánade!
¡Ve con él, que es de tu carne!
¡Vuela, Ana, a ver si sabes!

Un juego de palabras y un juego con las palabras para describir la presencia inesperada de quien tiene por oficio hacer el ganso, de alguien para quien la gansada es lo suyo. Las soledades están en el poema, pero menos solitarias que de costumbre, pues la oca entra y sale de ellas como Pedro por su casa. Y con ellas entra y sale la normalidad, lo que suele llamarse la vida cotidiana. Si el cisne simboliza belleza, enigmas, el pato aparece como símbolo de lo sencillo y diario; a una poetización de lo poético le ha sucedido una poetización de lo —en teoría— antipoético. ¿Cómo así? Justamente para mostrar la inanidad de las oposiciones tradicionales entre lo que se calificaba de poético y lo que se imaginaba hostil, imposible a la poesía.

Juan Ramón, que en su penetrante retrato de Rubén Darío puso chaleco al fabuloso monstruo marino que a sus ojos era el poeta, y en otro, todavía más impresionante, descubrió a Antonio Machado levantándose cada mañana de la fosa para vivir un rato, había esperpentizado antes —en prosa— con sobria lucidez visionaria. Pero en los retratos de sus "héroes" el acento era dramático, como debía serlo, por las figuras y las situaciones. Con Anadena, el tono no podía ser el mismo. Convenía poner el acento sobre la normalidad, mezclar ternura con ironía y mostrar que también el "zipitape, tipizape" de la oca podía "inspirar", como suele decirse, amor.

El poeta que ha vivido guerras —la civil española y la otra— y entreguerras sabe bien que el parque viejo del modernismo se convirtió en cementerio o en campo de concentración. El parque y el cisne ya no significan nada, y las imágenes significantes serán, como en los romances de la serie a que pertenece el aquí comentado, otras: el soldado muerto ("el más fiel") o esta Ana de nadie o de todos, que al final, y si el amor la mueve, también podrá volar. El último verso lo dice, sin equívoco

posible, y con exclamación tonalmente tan expresiva: "¡Vuela,
Ana, a ver si sabes!". Así el poeta anima al vuelo, excita, im-
pele a su criatura, pues suya es —acaba de crearla en el poema,
en su sencillez—, con ese ir y venir de las palabras que fueron
cambiándose, alterándose para ser a la vez sonido y significado,
expresando cabalmente esa intuición de inocencia, normalidad
un poco boba y capacidad de transfiguración que, a pesar de
todo, existe en ese ir y venir torpe y sin gracia. Ir y venir, su-
biendo, cayendo, en la forma ridícula que la aliteración ("zipitape, tipizape") describe tan expresivamente, y luego ¡volar!

   ¿No es esta caricatura una auto-caricatura, del hombre si no
del poeta? ¿No es esta torpeza la mía y la tuya, lector; la de
Nade-nadie (ánade) y la de todos? Bambolearse de cualquier
manera y sentir que el vuelo puede intentarse, que puede apren-
derse a subir, subir, subir..., aun siendo pato. Y no me parece
casualidad el hecho de que un poeta mucho más joven, Blas de
Otero, tan distante adrede de Juan Ramón (aunque esa distancia sea más aparente que real: la "inmensa mayoría" del uno
no estoy seguro de que sea diferente, ni mucho más extensa que
la "inmensa minoría" del otro), ha cantado también al pato, y
por las mismas razones desmitificadoras, es decir, desmitificadoras del mito tradicional, lo que acaso impone la elaboración de
un mito nuevo. Que se presente enmascarado, con la figura familiar y tranquilizadora del ganso, no es sorprendente: así co-
gerá desprevenido al lector y se entronizará mítico sin darle
tiempo a percatarse de lo que está ocurriendo. Un artista con
olfato de negociante, o al revés, un híbrido representativo de la
época, Walt Disney, puso en circulación a Donald, amigo universal, quizá como triaca preparada al nivel y a la medida de
Hollywood contra la amenazadora presencia de la poesía, capaz
de insinuarse peligrosamente hasta en los reductos que parecen
más inmunes a ella.

JUAN RAMÓN JIMÉNEZ Y NORTEAMÉRICA

Juan Ramón Jiménez llegó por vez primera a Estados Unidos el 11 de febrero de 1916. Días después, el 2 de marzo, casó con Zenobia Camprubí en la iglesia católica de St. Stephen, en New York. Zenobia, educada en aquel país, era un notable caso de personalidad mezclada, integrada. Rubia y de ojos claros, con ligero acento al hablar el español, cuando Juan Ramón la conoció, en Madrid, la llamaban allí la americanita. En viaje de novios recorrieron Boston, Filadelfia, Washington... y vivieron en New York, que él supo ver con reveladora mirada de poeta. Boston le recordó —¿quién lo diría?— a Sevilla, y no para complacerse en vagas nostalgias sino (muy característicamente) para exaltar las diferencias. La ciudad y el campo le traían recuerdos de poetas cuyos versos subieron a su memoria en el curso del viaje: Francis Thompson, Emily Dickinson, Amy Lowell, a quienes cita y de quienes tradujo poemas. Una excursión en ferrocarril le sirvió para fundir en la duermevela del ensueño rememorante el paisaje americano y su natal Andalucía. Y al regreso, el escueto piropo a la ciudad que se le había entrado en el corazón: "¡New York, maravillosa New York! ¡Presencia tuya, olvido de todo!".

El *Diario de un poeta recién casado,* parcialmente escrito en Estados Unidos, es en esa parte un genuino diario poético de las impresiones sentidas por Juan Ramón Jiménez durante su estancia allí. Vale la pena seguir al poeta en su descubrimiento del mundo norteamericano; entre otras cosas, no tardaremos en comprobar la ligereza con que se le ha situado y definido, una y otra vez, extramuros de la realidad, confinándole en la isla del propio yo, cuando no del propio sentimentalismo, y reputándole incapaz de objetivar el mundo que le rodeaba, de aprehenderlo en su radical otredad.

¡Singular ceguera, suponiendo que no interviniera mala fe en quienes dictaron la simplista calificación! Basta una lectura del *Diario* para advertir cuánta capacidad de contemplación desinteresada y cuánto poder de tersa traducción de la realidad a la palabra se daba en Juan Ramón Jiménez. Lo que en este libro impresiona es, sobre todo, la aptitud para descubrir el incidente humano significativo, el objeto que es un símbolo, la figura que vale por una parábola. Todo lo contrario de la llamada literatura de evasión, pues la realidad se entraña en la experiencia que es el poema con fidelidad y objetividad rara vez alcanzada por poetas comprometidos, por los poetas cuya visión es enturbiada por la voluntad de probar.

Veamos dos poemas, dos momentos diferentes (y quizá complementarios), ligados por el escenario: el *subway,* curioso camino en contraste con las no menos legítimas galerías del sueño por las cuales Juan Ramón, como Antonio Machado, transitara en su juventud. El 2 de abril escribió el primero:

> En Subway. La sufrajista, de una fealdad alardeada, con su postre mustio por sombrero, se levanta hacia un ancianito rojo que entra, y le ofrece, con dignidad imperativa, su sitio. Él se resiste, mirando con humildad celeste a la nieve entre dos sombreros de señoras negras. Ella le coje por el brazo. Él se indigna, en una actitud de quita golpes. Ella lo sienta, sin hablar, de una vez. Él se queda hablando sin voz, agitando furioso las manos altas, con una chispa de sangre última en sus claros y débiles ojos azules.

Ni política, ni sociología, ni comentario siquiera. Cualquier glosa sería inoportuna. El poeta, espectador del minúsculo acontecimiento, crea el poema con un mínimo de aportación personal, y, por razones de economía verbal, condensa en una palabra, en un adjetivo —"imperiosa", por ejemplo—, lo que los ortodoxos del neo-objetivismo describirían en fatigosa descripción. La idea de que el poeta no esté de alguna manera en las líneas de su texto ha perdido vigencia rápidamente, y leyendo a Juan Ramón es fácil entender por qué. En el poema, tras las palabras y en ellas, se encuentra la intuición del hombre que lo escribió.

La segunda escena, distinta en carácter, tiene el mismo sentido de realidad asimilada por el poeta y reinventada objetivamente, pero desde dentro. A los tres días del apunte anterior, Juan Ramón ve en el subterráneo una muchacha dormida, y con sólo describirla y describir el aura de su presencia logra uno de los más bellos poemas de su obra total. Lo tituló "La negra y la rosa":

> La negra va dormida, con una rosa blanca en la mano —*La rosa y el sueño apartan, una superposición májica, todo el triste atavío de la muchacha: las medias rosas caladas, la blusa verde y trasparente, el sombrero de paja de oro con amapolas moradas*—. Indefensa en el sueño, se sonríe, la rosa blanca en la mano negra.
>
> ¡Cómo la lleva! Parece que va soñando con llevarla bien. Inconsciente, la cuida —con la seguridad de una sonámbula— y es su delicadeza como si esta mañana la hubiera dado ella a luz, como si ella se sintiera, en sueños, madre del alma de una rosa blanca. —*A veces, se le rinde sobre el pecho, o sobre un hombro, la pobre cabeza de humo rizado, que irisa el sol cual si fuese de oro, pero la mano en que tiene la rosa mantiene su honor, abanderada de la primavera*—.
>
> Una realidad invisible anda por todo el subterráneo, cuyo estrepitoso negror rechinante, sucio y cálido, apenas se siente. Todos han dejado sus periódicos, sus gomas y sus gritos; están absortos, como en una pesadilla de cansancio y de tristeza, en esta rosa blanca que la negra exalta y que es como la conciencia del subterráneo. Y la rosa emana, en el silencio atento, una

delicada esencia y eleva como una bella presencia inmaterial
que se va adueñando de todo, hasta que el hierro, el carbón,
los periódicos, todo, huele un punto a rosa blanca, a primavera
mejor, a eternidad...

Comparando este poema con el anterior, semejanzas y diferencias saltan a la vista. En los dos se describe un espectáculo
presenciado en el ferrocarril subterráneo, pero mientras el primero es dinámico y deprimente, el segundo es estático y exal-
tante; aquél refiere una anécdota con intención político-social,
éste una parábola reveladora del misterio mismo de la vida.
En ambos, la mirada descubre lo esencial y lo destaca con rá-
pidas pinceladas, toques de color y de sentido, puestos como
por azar, pero significantes en sí mismos y con relación a la
totalidad. Y al describir se crea algo nuevo y diferente: la experiencia que es el poema.

El subterráneo es estrictamente hablando el camino oscuro,
el camino de las profundidades por donde siempre viajaron los
poetas. Orfeo, loco, tras Eurídice; Virgilio y Dante; Rimbaud
en su vacación, antes de instalarse en el infierno de tierra. Para
vivir su sueño don Quijote necesitó bajar a la cueva de Montesinos, Dostoievsky aposentarse en el negro sótano de las obsesiones que le atormentaban. Sí; el descenso a los infiernos
daba testimonio de una vocación e inscribía al poeta en una
ilustre hermandad. Ahora —y tal fue uno de los descubrimientos del poeta en la New York de 1916— el acceso a las galerías infernales se había democratizado y por unos centavos era
posible penetrar en ellas y viajar hasta el círculo deseado. Una
estación se llama Columbus Circle, y no por azar, pues Colón
es el Descubridor por antonomasia. Por vez primera el descenso metafórico coincidía con el descenso verdadero a una realidad sombría, a un mundo artificial donde luces y sombras co-
operan para teñir el rostro de los vivientes, envolviéndoles en
un aura espectral.

El primer poema es un acta de acusación: en un mundo sin caridad hasta los gestos de cooperación resultan humillantes; imperiosos en quien los realiza, ofenden a quien los padece. La sufragista, "de una fealdad alardeada", es decir, de una fealdad agresiva, para proteger, empieza declarándose superior, negando la humanidad del protegido, cosificándolo; en su inhumana decisión de negar la feminidad que le redimiría, se obstina en imponer lo que cree justo, siquiera para lograrlo deba herir, destruir al pobre ser a quien anula "por su propio bien". La mirada "objetiva" del poeta ha captado un momento revelador del desamor y la insensibilidad implícitas en la institucionalización y mecanización de la filantropía contemporánea, grotesco *ersatz* de la caridad.

La sufragista es un símbolo, y lo es, en el otro costado, la negra dormida. La muchacha de la rosa blanca es la portadora de la primavera, triunfante del sórdido y miserable recinto ambulatorio, sonriente en el sueño donde se cumple lo que le niega la vida, y embelleciendo —por su presencia y el olor de la rosa— lo oscuro que la rodea. Símbolos encarnados en seres reales, figuras de la eterna comedia humana y a la vez de una situación concreta. Se complementan, en el contraste, expresando los antagonismos de la existencia: fealdad, violencia y voluntad de dominio, en la una; belleza, fragancia y posibilidad de convivencia, en la otra. La negra dormida hace olvidar a los pasajeros del subterráneo su pesadilla individual y la cercanía de la belleza soñadora les contagia, un instante, de sueño, y les mejora.

Los dos poemas se equilibran en el natural movimiento dialéctico de la vida, y en esa compensación espontánea e inesquivable, las imágenes ceden su parcialidad en beneficio de una abarcadora y expresiva totalidad. La senda oscura, el soterrado camino de la vida tiene puntos luminosos; la rosa destellando en la sombra como símbolo de la belleza es tan permanente e invencible como el mal. En el vehículo, rodando de una estación a otra, con la sufragista y su víctima, van la primavera y su rosa blanca.

Las parábolas de la vida norteamericana, tan arraigadas en ella, son así trascendidas y resultan imágenes de la vida a secas, sin limitación cronológica o geográfica. Cada apunte en el *Diario de un poeta recién casado* es un testimonio. Paseando por Broadway, le entretiene y le fatiga el delirio de los anuncios luminosos, "constelaciones nuevas" en el cielo eterno:

> El Cerdo, que baila, verde todo, saludando con su sombrerito de paja a derecha e izquierda. La Botella, que despide, en muda detonación, su corcho colorado, contra un sol con boca y ojos. La Pantorrilla elétrica, que baila sola y loca, como el rabo separado de una salamanquesa. El Escocés, que enseña y esconde su whisky con reflejos blancos.

Una algarabía de color, chisporroteante, llameante. Pero el poeta quiere ver en el cielo algo más, busca una vieja amiga que por allí se le ha perdido, una amiga a quien cantó años atrás, y no la encuentra:

> —¡La luna! —¿A ver? —Ahí mírala, entre esas dos casas altas, sobre el río, sobre la octava, baja, roja, ¿no la ves...? —Deja, ¿a ver? No... ¿Es la luna, o es un anuncio de la luna?

El mundo de lo natural desbordado, suplantado por el de lo artificial. La retórica elevada a la enésima potencia, invadiendo el cielo para desde allí ejercitarse como lo que es, arte de la persuasión, sobre los hombres. Juan Ramón, genuino vate, adivino, descubre en la arrogancia del espectáculo elaborado por las gentes de Madison Avenue la realidad de un futuro que en 1916 empezaba a ser presente: la presión publicitaria, arrogante y segura de sí, desalojando de nuestra vida la hermosura sencilla y natural, para colmar aquella de objetos cuya "necesidad" se inventaría, se forzaría para desencadenar una apetencia de futilidades y estimular la adquisición de lo inútil. En las últimas líneas del poema la profecía se hace transparente en el mundo que es ya actual; el mundo de la duda y la inseguridad se declara en la pregunta final.

Las calles de New York, abril tibio, arbusto verde, árbol alto, ómnibus de Riverside Drive, jardincillos de Washington Square, pajarillo inesperado, Hudson ancho y lento, tormenta lejana, museos, vagabundos, parejas de amantes..., todo le exalta y nutre su corazón con alimentos que no tardan en reaparecer convertidos de materia en sustancia del poema. Maravillosos encuentros nocturnos, reales y misteriosos a la vez, con el misterio de la realidad más sencilla, con la realidad del misterio más entrañable. Una noche iba caminando Quinta Avenida abajo y:

> De pronto, no sé si cerca o lejos, como aquel carabinero solitario por las playas de Castilla, aquella tarde de vendaval, un punto, un niño, un animal, un enano..., ¿qué? Y avanza. ¡Ya!... Casi no pasa junto a mí. Entonces vuelvo la cara y me encuentro con la mirada suya, brillante, negra, roja y amarilla, mayor que el rostro, todo y solo él. Y un negro viejo, cojo, de paletó mustio y sombrero de copa mate, me saluda ceremonioso y sonriente, y sigue, Quinta Avenida arriba... Me recorre un breve escalofrío, y las manos en los bolsillos, sigo, con la luna amarilla en la cara, semicantando.
>
> El eco del negro cojo, rey de la ciudad, va dando la vuelta a la noche por el cielo, ahora hacia el poniente.

Noche, soledad, calles desiertas, ensimismamiento, elementos que exaltan la fantasía del hombre que deambula en la frontera del sueño. La intensidad de esa presencia, imprevista y tan previsible, se debe precisamente a que el paseante, perdido en la divagación interior, siente por un momento la sensación de que tal figura, extraña por inesperada, se ha desprendido de la bruma rememorante, convirtiéndose en expresión y representación del lado nocturno de la ciudad, caricaturesca y noble a la vez; por cuanto parece ser y encarnar estremece al poeta que en el vencido de la vida descubre al señor de la nocturna soledad, al rey de la ciudad, vacía y resonante bajo su paso.

¿Rey? ¿No asociamos involuntariamente esta palabra y la imagen del negro cojo a la del Rey de Harlem cantado, trece años después, por Federico García Lorca? Me pregunto si entre la concisión juanramoniana y el esplendor lorquiano, tan diferentes, no hay una vinculación precisa, que arranca de esa intuición del negro derrotado, pero en realidad rey de la ciudad, pues lo es de las obsesiones y los sobresaltos, rey de las calles desiertas en la madrugada, pues el eco de sus pisadas se repite en el latido del corazón que duerme. El viejo negro va y viene entre la realidad y el sueño; Juan Ramón, si lo descubre y revela, no lo inventa. El rey de Harlem sí es invención del arrebato visionario de Lorca, y mientras el poema del primero podemos entenderlo literalmente, la "Oda al rey de Harlem", del segundo, sólo simbólicamente tiene sentido.

La New York de Juan Ramón y la de Lorca son tan diversas como la calidad de su imaginación y su modo de ver. Al primero le bastaba exponer la realidad conforme sus ojos la descubrían para que el poema destellara de verdad; Lorca, de imaginación más fantaseadora, sobreponía a lo real imágenes dictadas por el presentimiento, escenas y tipos engendrados por ideas quizá ya activas antes de su llegada a Estados Unidos. Juan Ramón veía la realidad; Federico la creaba partiendo de ideas y emociones. De los dos, el más objetivo es Juan Ramón; el más hondo visionario, Federico. Por eso la New York de Lorca es caricaturesca; con grandeza, pero deformada, expresionista, habitada por monstruos y monstruosa en sí misma, mientras la de Juan Ramón es alternativamente hermosa, cruel, ridícula, y poblada por gentes sujetas a su condición y destino humanos.

No quiero prolongar esta digresión, pero así como el negro cojo "de paletó mustio y sombrero de copa mate" es primero un ser real y luego un símbolo, mientras el rey de Harlem es ante todo simbólico y engendrado por una fantasía vagamente

conectada con la realidad, también la ciudad y sus lugares existen con figura precisa en el *Diario de un poeta recién casado,*
en tanto el mundo lorquiano es deformación lírica de cuanto lo
rodea. El "Cementerio judío" nada tiene que ver con los ce-
menterios vistos por Juan Ramón. Refleja la exaltación y el delirio desencadenados por la contemplación o el recuerdo de un
lugar que levantó en el alma del poeta bandadas de imágenes
apenas ligadas al espectáculo desencadenante. Lo visto se integra oblicuamente en la visión; la mirada, vertida hacia paisajes
interiores, hubiera podido dictar el poema sin el auxilio de los
sentidos.

Juan Ramón paseó por Estados Unidos con los ojos bien
abiertos. Recogeré aquí un par de notas del *Diario* en donde
destellan reflejos de su ingenio andaluz, a menudo soslayado
por los comentaristas para poner en pie una figura melancólica
y triste, según el propio poeta la deseó en algunas épocas. Re-
corre Jiménez el país y choca con el polaco dueño de la casa
donde nació Walt Whitman, que se niega a enseñarla y dice
ignorar quién era el tipo cuyo nombre figura en la inscripción
grabada en mármol, sobre la fachada. Otra vez, con guasa anda-
luza recoge y comenta un epigrama oído a amigos neoyorquinos:

Andan por New York —mala amiga ¿por qué? de Boston,
la culta, la Ciudad-Eje—, unos versillos que dicen así:

Here is to good old Boston
The town of the bacon and the cod,
Where the Cabot's only speak to the Lowell's
And the Lowell's only speak to God.

He conocido bien a una Cabot. ¡Cómo deben aburrirse los
Lowell's! He leído "La fuente" de Lowell. ¡Cómo debe estar-
se aburriendo Dios!

La gracia del comentario supera la del epigrama comentado,
y el chiste, como en otros momentos el lirismo, resulta realzado

por la economía verbal. La condensación redobla la eficacia, y bastan dos frases breves, idénticas en construcción e inflexión, dos frases paralelas, gemelas, para poner en ridículo a los pretenciosos. Más zumbón, con esa punta de picardía que asoma con regularidad en su obra, y no menos escueto, le hallamos en esta anécdota de su paso por Filadelfia:

> He visto ayer el lecho de Wàshington, el de Lafayette, otros...
> —¿Y el de Franklin? —pregunto en la mesa de Arcadia.
> (Las señoras se tapan una sonrisa y los caballeros callan un punto, sonriendo. Y se habla de los postres exquisitos, del vino, del agua que cae...)
> Luego, Mr. W--t se me acerca y me dice al oído:
> —Franklin no durmió dos noches en un mismo lecho... y ninguna en el suyo.

Retengamos estos aspectos de la ironía juanramoniana para mostrar su fisonomía total, que pudiera resultar deformada si sólo viéramos en él al cosechero de nostalgias, al hombre del corazón herido por el presentimiento. En Estados Unidos le atrajeron, junto a las "lívidas" madrugadas y los crepúsculos "de oro", gentes y espectáculos, murmuraciones y cuentecillos. La vida, en suma, con significativa y autentificadora minúscula. Y Juan Ramón sintió la atracción de New York y la del Este norteamericano por donde viajó, el hechizo de los cristales morados y las muselinas blancas que le parecieron símbolo de la dulzura y el encanto de Boston, la ciudad que —New York, aparte, y por distintas razones— habló más de cerca, y en voz baja, a su corazón.

La última página del *Diario* está dedicada a esos cristales y a esas muselinas, y es una transparente declaración de amor:

> Con ellos sí está mi corazón, América, como una violeta, una amatista o un pensamiento, envuelto en la nieve de las muselinas. Te lo he ido sembrando, en reguero dulce, al pie de las magnolias que se ven en ellos, para que, cada abril, las

flores rosas y blancas sorprendan con aroma el retorno vesper-
tino o nocturno de las sencillas puritanas de traje liso, mirada
noble y trenzas de oro gris, que tornen, suaves, a su hogar de
aquí, en las serenas horas primaverales de terrena nostaljia.

Juan Ramón, pues, sembró su corazón en la Nueva Inglaterra, para que la fragancia de las flores nacidas en esa tierra
difundiera por allí algo suyo y penetrara suavemente en las sencillas puritanas de "mirada noble y trenzas de oro gris". No
pudo expresar mejor el anhelo de comunicar con el país y la
gente y de fundirse así emocionalmente con ellas.

UNAMUNO Y SU "CANCIONERO"

Refiriéndose a las poesías de su *Cancionero* decía Unamuno: "entre todas ellas forman, creo, un poema de gran unidad, de la estrecha e íntima unidad que da la vida. Y son, me atrevo a afirmarlo, poesía y filosofía, si es que se diferencian entre sí (...). Este ramillete, mejor selva, de canciones forma todo un poema, uno entero y verdadero (...) ofrece una filosofía aunque no un sistema filosófico" [1]. Si es como él dice, debiéramos leer este libro como expresión continuada del alma que día tras día volcaba sobre el papel su confidencia. Federico de Onís, primer editor del *Cancionero,* lo subtituló "diario poético". Manuel García Blanco, al reimprimirlo para las *Obras completas,* conservó la certera denominación.

Sí; de un diario se trata, y de uno de los más entrañables que recuerdo. Para entender bien la abismal exigencia impuesta por la lenta y goteada elaboración de esta obra, conviene situarlo en el adecuado contexto biográfico e histórico. Escrito entre 1928 y 1936, refleja una intimidad que no podía resignarse al silencio, mientras el hombre exterior se prodigaba en actividades políticas y magistrales. *De Fuerteventura a París* y *El ro-*

---

[1] "Prólogo" al *Cancionero, Obras completas*, edición Vergara-Aguado, vol. XV, págs. 23, 24 y 34. Citaré por esta edición.

mancero del destierro podrían ser considerados como directos precedentes del *Cancionero,* pero en ellos la poesía está un tanto oscurecida por los comentarios en prosa, por las condenaciones y ataques contra los adversarios del día: Alfonso XIII y Primo de Rivera, sobre todo. En el último libro no ocurre así: en ciertos poemas resuena el fragor del combate en que don Miguel andaba empeñado, pero tales ecos —inevitables, pues nunca será posible desligar por completo lo intemporal de lo temporal— no desvirtúan el hondo sentir que le impulsó a cantar.

Años de exilio, seguidos por el triunfal retorno a la patria y las luchas posteriores, hasta casi el día de su muerte: el 28 de diciembre de 1936 está fechado el sobrecogedor poema último, al que me referiré más adelante. En estos años escribe también y publica *El hermano Juan o el mundo es teatro; San Manuel Bueno, mártir; La novela de don Sandalio, jugador de ajedrez; Un pobre hombre rico,* y numerosísimos artículos, algunos de los cuales son páginas de antología. Concejal, diputado a Cortes, profesor otra vez (de 1930 a 1936), rector de la Universidad de Salamanca, no ahorró ni se ahorró esfuerzo en el desempeño de estas funciones, pronunciando con ocasión de ellas discursos memorables.

En tales actividades y a su servicio puso en juego una prosa madura: tensa y precisa. Unamuno libra sin cesar su habitual batalla pública, pero súbitamente, asaltado por la urgencia de expresar otras emociones, se evade de cuanto le rodea para apuntar en una hoja cualquiera, en un trozo de papel lo dictado —¿por quién?— desde la sombra.

EL BESO DEL ÁNGEL

En carta a José Bergamín, el 28 de febrero de 1928, le dice: "Anoche dejé, mi querido Bergamín, el número 2 de *Carmen* (la revista chica de poesía española, dirigida por Gerardo

Diego) en mi mesilla, entre el reló y el vaso de agua, después de haber leído *Enigma y soledad* (¡Gracias!). Desperté, insomne, a media noche oscura, di a la eléctrica, y con lápiz, en la cubierta del mismo número escribí, a partir de un aire que en la niñez me enternecía a lágrimas, esto" [2]. Copiando, a renglón seguido, el romancillo número 2 del *Cancionero*. Podrían multiplicarse las citas, pero me limitaré a dos más, expresivas de cómo surgía el poema en la mente unamuniana.

Eduardo Ortega y Gasset, compañero de don Miguel en el destierro, cuenta cómo Unamuno, cierta mañana, después de leerle un soneto escrito la noche anterior le indicó: "Compuse este soneto dormido. Diríase que alguien iba, verso a verso, escribiéndolo o haciéndolo nacer en mi memoria o en mi espíritu. Me desperté, y, como otras veces en que se me ocurren cosas, lo escribí inmediatamente" [3]. El propio Ortega refiere las circunstancias en que Unamuno compuso el poema "Al perro Remo" (n.º 260 del *Cancionero):* "Al entrar en la casa don Miguel, mi gran perro Remo, de casta pastor alemán, le saludaba con la excesiva familiaridad de ponerle las manos sobre el pecho (...). Quiero sólo explicar la reacción que en Unamuno produjo aquel saludo canino, que le permitió ver los ojos del Remo a la altura de los suyos. '¡Qué misterio —dijo luego— duerme en esas pupilas!' Y entonces, como le ocurría siempre que el aldabonazo emocional sacudía su inspiración ardiente, enristraba su pluma —a veces tremenda lanza—, sacaba las pequeñas octavillas, de las que siempre llevaba gran repuesto, y se ponía a escribir. Le llevé a mi mesa de despacho y le dejé solo con su Musa. Poco tardó en levantarse y leerme una poesía que tituló *Al Perro Remo*" [4].

Preciosos testimonios. Y muy justa la mención de la Musa inspiradora, empujándole a extraer lírico zumo de suceso tan

---

[2] *Cancionero*, pág. 846.
[3] Eduardo Ortega y Gasset, *Monodiálogos de don Miguel de Unamuno*, Ediciones Ibérica, Nueva York, 1958, pág. 135.
[4] *Ibidem*, págs. 207-208.

nimio como éste. El incidente desencadenaba la intuición: en los ojos del perro sentía la muda pregunta obsesionante y la callada por respuesta; su mirada le parecía —acaso por acompañarla el silencio— la del Dios eterno por quien el alma clamaba. Tal es el deslumbramiento que, lejos de cegar, permite ver dentro de las cosas, de los sucesos y aun de las almas.

Ese deslumbramiento y la súbita percepción simultánea se presentaban con sello de urgencia, exigiendo traducción en palabras, expresión inmediata y suficiente de sentimientos, confusos tal vez, que en el poema empezarían a revelarse, a tener sentido. Es interesante comprobar que en el sueño hablaban voces al oído del corazón, excitándole, removiéndole, despertándole. El carácter de transcripción, de dictado interior, es en este caso evidente, probando, por enésima vez, que la poesía puede fermentar en los abismos, sin intervención de la conciencia.

Unamuno explicó cuál era la fuerza que le impulsaba a escribir. En el "Prólogo" al *Cancionero* advertía: utilizo el verso "por sentirme a ello empujado por un poder íntimo, entrañado y arraigado en el cogollo de mi ánimo. Y a este poder es al que los antiguos llamaron Musa. La Musa es el espíritu, más que público, espiritual, que nos constriñe a decir algo a nuestros prójimos, a nuestros próximos, a los más cercanos a nosotros, en verso o en música o en pintura o en drama o en otro cuerpo de expresión. Y no sirve invocarla, que ella sopla cuando y donde quiere" [5]. Bien observada la nota gratuita, irresistible y nunca forzable de la inspiración y el estrato —en el cogollo del ser— donde prende su pujante raíz. De ahí procede la voz, el canto que trae el corazón a los labios, anhelo de expresión diferente del que impulsa a la comunicación lógica y abre las grandes avenidas de la prosa.

Los casos recordados por Eduardo Ortega sirven para mostrar cómo fue acumulándose poesía en el *Cancionero* y cómo

---

[5] *Cancionero,* pág. 34.

esa poesía brotaba de la vida y del sueño-vida. En el prólogo, escrito poco a poco durante el año 1928, llama "íntimos misteriosos momentos" a los determinantes de la creación y describe uno de ellos: cuando al pasar frente al espejo se sintió como un extraño, vio como la de un extraño la imagen reflejada en el cristal. La emoción le produjo escalofrío.

En el número 152 del *Cancionero* creo ver una declaración lírica coincidente con lo escrito a Bergamín y lo contado por Ortega:

> Me besó en sueños un ángel
> en la boca; al despertar
> gusto de azul en los labios,
> de gloria en el paladar.

¿Para qué parafrasear en prosa lo tan claro en verso? El poemita sugiere de manera precisa el contacto de la inspiración, y el simbolismo delata la filiación de Unamuno. La sinestesia, de inequívoco acento modernista, "gusto de azul", hace pensar en Juan Ramón, y más lejos en Mallarmé y Hugo. El beso "en sueños" le trajo la canción; canción que escribirá despierto, al día siguiente.

Durante algún tiempo la inspiración tuvo mala prensa. Practicada la poesía como ejercicio, y no precisamente espiritual, sino intelectual, al modo de Paul Valéry, se llegó a desconfiar de ese tábano —así la llamaba Unamuno— que excita y provoca el canto. La reacción surrealista contribuyó —en Francia, sobre todo— a restablecer el equilibrio. A don Miguel le acosaba el tábano; era poeta inspirado, poeta "de emanación", según Juan Ramón diría. Y junto a eso, poco importan las asperezas verbales; la canción fluía a veces tan natural y libre que la armonía se lograba espontáneamente.

TÁBANO, PALABRA

Bastantes poemas surgían por la presión de una palabra, de una resonancia verbal propagada en ondas concéntricas y cristalizada en una intuición que sin perder la fuerza del impulso inicial se dilataba hasta expresar algo nuevo: "lo que crea es la palabra y no la idea", y también: "las palabras mismas suscitan (...). Los llamados aciertos poéticos suelen ser aciertos verbales. Hay tal juego de palabras que es juego de conceptos, conceptismo y juego de pasión. Porque las palabras levantan pasiones y emociones; y acciones" [6], escribió en el prólogo al *Cancionero,* y lo mismo dijo, con ligeras variantes, en varias ocasiones. Al hablar así estaba negando imposibles distinciones entre fondo y forma, o quizás señalando que "el fondo" nacía de la forma, de la palabra excitante en torno a la cual y por acumulación de sensaciones, emociones y recuerdos, se constituía el poema. El titulado "Madrigal de las Altas Torres" sirva de ejemplo: el nombre de la villa provoca una serie de asociaciones que en conjunto expresan lo intuido por el poeta: la conciencia de la historia patria y la emoción que en él suscita esa toma de conciencia. Madrigal de las Altas Torres..., canta, y es como un conjuro por cuya virtud las realidades de ayer —Isabel, César Borja, San Juan de la Cruz, los Comuneros, el rey don Sebastián, Fray Luis...— se transfiguran en experiencia lírica, espectros todos y todos evocadores del sueño malogrado, o de una realidad —Castilla— que entrevista a distancia, en el tiempo, parece sueño. La historia es sueño, no novela que se realizó, y mejor que en una crónica, donde quizá se perdería entre minucias, su esencia puede salvarse en el poema.

Una esencia mítica, con frecuencia, como en *El Cristo de Velázquez.* Juan Ramón Jiménez señaló lo mitológico de esta

---

[6] *Cancionero,* pág. 25.

obra y, con peculiar deslizamiento imaginativo, llegó a equiparar teología y mitología [7]. Esta idea sólo podremos entenderla en contexto. Juan Ramón pensaba que el modernismo unamuniano se revelaba a través del simbolismo. Unamuno, Machado y él fueron, en distintos momentos, los más calificados representantes de la tendencia simbolista dentro del modernismo, y si esto no se ha visto es porque la visión del problema estaba enturbiada por las ideas en torno al "Noventa y ocho" y sus gentes. Unamuno convirtió a Cristo en el símbolo que resume sus creencias, o sus anhelos. Cristo, hombre divinizado por el sacrificio, por la aceptación del sacrificio. Hombre hecho Dios, para infundirnos confianza en el poder de la voluntad humana.

En cualquier caso, y ateniéndose al fenómeno creativo, la palabra es el estro o "tábano" unamunesco, el agente suscitador de las asociaciones que componen la estructura del poema, la organización adecuada para realzar y hacer inteligible su pulpa más jugosa. Leyendo el *Cancionero* impresiona la capacidad asociativa y la sensación del ritmo que el poeta sintió batir en sus pulsos cuando la palabra vieja, o de siempre, se le insinuaba como algo nuevo.

MÚSICA DE LA LETRA

Los valores rítmicos y los fónicos lejos de ser desdeñables, son necesarios para entender cabalmente la poesía unamunesca. Ruego a quienes no compartan mi opinión que se den una vuelta por las páginas del *Cancionero;* se convencerán pronto. Si recordamos la afición de don Miguel a los juegos de palabras, sabremos por qué aparecen con tanta frecuencia en el poema. Y como es forzoso, esos juegos, antítesis, reiteraciones, aliteraciones, suenan a la vez que significan. La aliteración, por ejemplo, ¿ocurre porque la idea convoca las palabras o porque las

[7] Juan Ramón Jiménez, *El modernismo*, Aguilar, México, 1962, páginas 118, 127 y 129.

palabras sugieren aspectos de la idea? Unamuno respondió afirmativamente al segundo término de la cuestión. Hay un cierto automatismo en la creación poética: sonido llama a sonido y los vocablos surgen antes de pensados. Léanse en voz alta estos versos y se los notará más musicales de lo que suele creerse, aun no siendo su autor de quienes creían con Verlaine en anteponer la música a todo lo demás.

Para él, música no era orquestación de sonidos insignificantes o trivialmente significantes, sino armonía de lo significativo derivado de la palabra que a cada momento puede reverberar y decir con acento distinto otras cosas o añadir matices valiosos, inadvertidos, a las de siempre. No es "lo que podríamos llamar la música de las palabras, como en Góngora, sino su letra" [8], y la música que lleva esa letra tiene tanta variedad de significación como él le sabe dar al asociarla, corroborativa o contrastadamente, a la de otros vocablos. Por eso, desde los comienzos de su poetizar, críticos y poetas hablaron del Unamuno interior, es decir del Unamuno en quien la música va por dentro y sólo se deja oir como dependiente del sentido que constituye su entrañable melodía.

Y la rima ¿significaba algo para él, tan capaz de forzarla sin duelo? Veamos el poema 129 del *Cancionero;* con humor, buen humor —y buen juicio— la declara posibilidad abierta al vuelo y a la caída: "ya nos eleva a la cima; ya nos sumerge en la sima", y en el 168 exclama, medio en serio, medio en broma: "¡Lo que enseña la rima, Dios divino!". Y si no dejó de ser ocasión para el desliz, para el injerto bronco y desconcertante, también le proporcionó hallazgos expresivos —"rima generatriz"— que sin ella tal vez no consiguiera.

Esto de la rima y su sonsonete tiene poco que ver con la música de fondo, disonancias y ocasionales asperezas, graves cadencias, melodía continuada que fluye soterrada y aflora de

---

[8] *Cancionero,* pág. 25.

pronto cuando algo la estimula. Así, en la canción 1705, escrita al encontrar un rizo de su cabellera infantil:

> ¿Este rizo es un recuerdo,
> o es todo recuerdo un rizo?
> ¿es un sueño o un hechizo?
> En tal encuentro me pierdo.
>
> Siendo niño la tijera
> maternal —¡tiempo que pasa!—
> me lo cortó, y en la casa
> quedó, reliquia agorera.
>
> "¡Fue mío!", dice mi mente.
> ¿Mío? ¡si no lo era yo...!
> Todo esto ya se pasó:
> ¡si nos quedara el presente...!
>
> Es la reliquia de un muerto,
> náufrago en mar insondable.
> ¡Qué misterio inabordable
> el que me aguarda en el puerto!
>
> Este rizo es una garra
> que me desgarra en pedazos...
> ¡madre! ¡llévame en tus brazos
> hasta trasponer la barra!

El ejemplo no está escogido al azar, naturalmente, sino por razones que expondré en seguida; sería facilísimo señalar centenares de composiciones —nada menos— en donde la vena corre con idéntico desembarazo. La transcrita me parece compendiar lo mejor y más característico de Unamuno. Estalla el poema cuando el Miguel de 1934 encuentra un rizo del niño que antaño fuera, alguna vez, en un pasado casi fabuloso. La chispa ilumina el inagotable misterio del tiempo, sin dejar ver más que la hondura del abismo. Meditación, otra vez, frente y sobre el tiempo, tan parecida a la suscitada por el hallazgo de un viejo retrato —o de otro objeto capaz de situar al contemplador, súbitamente, en lo pasado.

En lo pasado y no en el pasado, no solamente en el tiempo sino en la complicada textura de sensaciones que constituyó el brumoso ayer. Allí se instala el rememorante, reconociendo su nebulosa sustancia, genuina pero inaprehensible, y piensa si no será todo sueño: la infancia perdida y el presente, igualmente inseguro. Ligado con este tema, el de la identidad y multiplicidad del yo: ¿hay algo de común entre el niño del rizo y el anciano del poema? ¿Son el mismo o distintos? Como aquél pasó, pasará el cantor desolado. La invocación a la madre eterna, suya y de todos, es propia de quien para no sentirse desamparado pide ayuda en el trance inevitable y revela esperanza y desesperación a la vez o, para decirlo en forma unamuniana, esperanza desesperada.

OJO Y OÍDO

¿Y los primores técnicos? "Rizo, recuerdo", para la aliteración; "garra y desgarra", para la variación; "recuerdo, sueño, encuentro", para las rimas interiores..., sin contar las consabidas antítesis: encontrarse-perderse, pasar-quedar. Esos recursos son lo que primero suena, o disuena, y ayudan a fijar el poema en el oído. No sobrará alguna insistencia: los poemas de Unamuno son para ser leídos en voz alta; entran por el oído y no por la vista, y el que así ocurra me parece prueba de su autenticidad. El verso retórico, construido desde fuera, a ojo, se desmorona en el recitado, cuando, como la pared del cuento policíaco, suena a hueco. Por el contrario, el unamunesco, denso, hirviente, está henchido de emociones, sentimientos, sensaciones, impresiones, creencias. Tanta concentración es consecuencia del constante y plural fermentar de su mente o —si se prefiere— de su corazón, disparado en múltiples direcciones y al mismo tiempo retenido en dos o tres preocupaciones obsesivas, radicales, que evitan su dispersión al retenerle o devolverle pronto a ellas, enriquecido con las sugerencias que le proporcionó el vagar de un motivo a otro, de una incitación a la siguiente.

En las "Apuntaciones para un prólogo", dadas a conocer por García Blanco a la cabeza de la colección unamuniana que tituló *Cincuenta poesías inéditas,* hay ideas que conviene recordar. Alguna vez don Miguel pensó publicar esas poesías —como hiciera con otras— en forma tipográfica de prosa "para ayudar a su mejor lectura e interpretación musical y rítmica". Análoga idea tuvo Juan Ramón Jiménez, años después, llevándola a la práctica en el grandioso poema "Espacio", primero aparecido en verso y luego (en la versión de *Poesía española)* en prosa. Sospecho que el autor de *Platero y yo* siguió el ejemplo de nuestro Rector, pues la coincidencia no se limita a este punto: se extiende a varios [9]. Unamuno había publicado en prosa composiciones integradas por versos, titulándolas "visiones rítmicas". Pilar Lago de Lapesa demostró que el cuento "Cruce de caminos", inserto primero en *Los Lunes del Imparcial* y recopilado en *El espejo de la muerte,* está en verso, aunque impreso como prosa. Y entre los papeles donados por Juan Ramón a la Universidad de Puerto Rico he visto poemas en verso del *Diario de un poeta recién casado* dispuestos en forma de prosa, y listos para la imprenta.

No acaban ahí las coincidencias; ambos poetas protestaron contra quienes ven —o hacen— la poesía a ojo, en vez de ha-

---

[9] "Publico esta nueva colección de poesías en forma tipográfica de prosa, en parte por reacción contra el exceso contrario y es el de publicar prosa en forma tipográfica de versos o sea en renglones desiguales", escribía Unamuno en las *Apuntaciones* citadas en el texto (*Cincuenta poesías inéditas,* Colección Juan Ruiz, 1958, página 27). Y Juan Ramón, por su parte: "El verso libre no es realmente verso; sí lo es el verso blanco, porque tiene medida fija: en español, el endecasílabo. Si la medida no es fija, no es verso. Escrito seguido, el romance mismo gana, pues se lee de una tirada" (*Conversaciones con Juan Ramón,* Taurus Ediciones, Madrid, 1958, pág. 144).

cerla a oído. ¿Cómo —decía Juan Ramón— la escuchará el
ciego? "Tome un poema y recítelo pensando que todos los
oyentes son ciegos", me decía en 1953 [10]. Y sin duda hubiera
suscrito las palabras de don Miguel cuando al defender la publicación del verso como prosa señalaba que así se "obliga al
lector a estar más alerta en su lectura y no dejarse guiar del
artificio tipográfico" [11]. Se recordará la amistad de Unamuno
con el poeta ciego Cándido Rodríguez Pinilla, y la experiencia
de Juan Ramón, en La Habana, leyendo versos a los ciegos;
experiencia de que nació "Ciego ante ciegos". La repugnancia
a visualizar el poema es natural en quienes lo piensan dependiente del ritmo y creen que el medio natural de penetración
es el oído, capaz de captar sin ruptura la línea donde se refleja
el río natural de la poesía (como lo llamó Emilio Prados) en su
continuidad de corriente.

En el poema 104 Unamuno pregunta y responde:

> ¿A ver, qué tienes que decirte? aguarda,
> el ritmo mismo te traerá la idea
> —duerme en el seno del lenguaje mudo—,
> busca tan sólo las palabras, ellas
> te crearon el alma y al creártela
> te hicieron creador; esto es; poeta.

Estas líneas son casi un arte poético; resumen las ideas de
Unamuno respecto a la creación lírica. Quiero destacar el segundo verso —"el ritmo mismo te traerá la idea"—, donde sugiere el susurro, el cadencioso rumor, como instante inicial, como

---

[10] *Conversaciones con Juan Ramón*, pág. 115.
[11] *Andanzas y visiones españolas*, Renacimiento, 1929, pág. 245.
Este libro influyó sobre Juan Ramón Jiménez y sobre Antonio Machado. Un caso concreto de esa influencia lo he señalado en otra parte;
en mi opinión el ejemplo de don Miguel animó al poeta de Moguer
a imprimir versos como prosa, y aun a pensar en editar en prosa
toda su lírica.

fase inicial de la intuición. La canción cuaja en la letra, y a la vez el ritmo naciente sugiere o exige las palabras en que va cristalizando [12].

LÉXICO

Dos puntos quisiera abordar, siquiera brevemente: uno, ligado con cuanto vengo exponiendo, el del vocabulario poético unamuniano; otro, en conexión más o menos laxa con éste, el de la inclusión en el *Cancionero* de todos los versos escritos por don Miguel desde 1928 a 1936: lo malo y lo bueno, lo deleznable y lo trascendental. Empezaré por el vocabulario. Hay poetas para quienes el arte de escribir supone interponer distancia entre ellos y lo escrito: sentir, sí, pero, como Wordsworth quería, recordar la emoción en el sosiego. O, según Juan Ramón practicaba, tras escribir el poema, revivirlo, a veces mucho después, cuando del fuego apenas quedaban cenizas. Algunos, tal Valéry, se prohibieron el empleo de ciertas palabras por considerarlas contaminadas: indeseables, vulgares, sentimentales, constriñéndose a un rigor intelectual que desde el punto de vista del sistema podía ser admirable, pero que desde el de la poesía no tenía sentido. Otros —y aquí entraría alguno de los modernistas segundones— rehuían ciertos vocablos, por prosaicos o por manoseados en exceso, sin advertir que los utilizados para sustituirlos eran igualmente tópicos y gastados, aunque no en el uso diario de la palabra hablada sino en la convención de la palabra escrita.

Unamuno, lejos de alejarse, se mete en lo escrito, para hacerse carne y sangre del poema, sintiendo la palabra poética como brote del alma: en la canción cree captar el respirar de ella y su palpitación. La fatalidad de la lírica unamuniana es

---

[12] Para la técnica poética de Unamuno véase el libro de Manuel García Blanco: *Don Miguel de Unamuno y sus poesías*, Universidad de Salamanca, 1954, en especial las páginas 26-29.

obvia; el poema, como el resto de su obra creativa, era el vehículo gracias al cual podría alcanzar, si no la inmortalidad,
cuando menos el sucedáneo a que había de resignarse. Pone en
la poesía lo más y lo mejor suyo —"He aquí mi confesión, /
este rimado diario" (reitera en el poema 1466), "ayes del alma",
dicho con frase de Campoamor, que se entenderá literalmente—, y lo inscribe para ver si las efusiones del sentimiento le
mantienen vivo en el verso. Borra la distancia entre éste y el
poeta. Por darse cuenta de la significación de tal fenómeno Luis
Felipe Vivanco le sitúa [13] junto a Walt Whitman, el de "esto no
es un libro, sino un hombre", frase que bien pudiera figurar
en cabeza del *Cancionero*.

En cuanto a las palabras: "no las hay puras e impuras, lim-
pias y sucias, como no las hay nobles y plebeyas" [14]. Se le re-
prochó y aún le siguen reprochando el empleo de un léxico agre-
sivo, panfletario a veces, en algunos de sus versos del destierro.
En el *Cancionero*, en general más recatado y confidencial, expresión —si se me permite la abrupta esquematización— más
de lo intrahistórico del hombre que del personaje histórico, apenas si de cuando en cuando un ramalazo de ira da lugar a una
imprecación, a una línea violenta y acre. Ya sé que no es posible separar al intrahistórico del histórico —los dos conviven
la dualidad en inquebrantable unidad—, al contemplativo —según la feliz expresión de Blanco Aguinaga— del belicoso, y que
la incesante oposición entre ambos ocasiona el vivir en el filo
de la navaja característico de quien escribió *Paz en la guerra*.
Como apunté al comienzo, en los años del destierro y en los
siguientes, incitaciones de la política y de la historia le impul-
saron a escribir en prosa otro tipo de textos, dejando el *Cancionero* como espacio abierto a la confidencia, el recuerdo y la
esperanza —o la desesperanza—.

---

[13] *Introducción a la poesía española contemporánea*, Ediciones
Guadarrama, Madrid, 1957, pág. 20.
[14] *Cancionero*, pág. 26.

Pero Unamuno jamás abdicó el derecho a emplear en el poema toda clase de palabras, o, mejor dicho, a declarar que entre ellas no hay clases, usando algunas como "magreó", "carajo", "mierda", "joder" o "pedo", de uso poco frecuente en poesía, y con ellas muchas tomadas del habla popular, especialmente campesina, otras derivadas de sus lecturas, y frecuentes neologismos. Lo que no hay es lenguaje libresco, según ya señaló Milagro Laín al estudiar estos aspectos de la creación unamuniana [15].

LO BUENO Y LO MENOS BUENO

Pasando al segundo punto de los antes indicados, veamos por qué en el *Cancionero,* tal como fue concebido, no solamente tienen cabida los poemas excelentes sino los menos buenos y aun los mediocres. Anticipándose a objeciones previsibles, advertiré que el fenómeno es distinto del muy frecuente de que en un libro convivan lado a lado poesías de varia calidad. (Gerardo Diego seleccionó hace años una *Tontología,* con versos de poetas indiscutibles —si no, ¿qué gracia tendría?— y sería tarea sencillísima prolongarla o reunir una extensa *Ripiología,* también con textos de los mejores). Cuando tal cosa sucede, se debe a sestear de las musas, distracción, fatiga, intrusión del ripio o del lugar común, colados sin saber cómo en las mentes más alertas... Por lo general el poeta vigila y cuida su poema; en los grandes no suelen ser frecuentes las caídas. Todo el arte de la corrección y la tensión autocrítica —pues de arte se trata: del último momento del proceso creador— entran en juego para impedirlas.

En el *Cancionero* no es que aquel o esotro poemita trivial se deslizara de matute, sino de que con cabal conciencia de su

---

[15] Milagro Laín, *Aspectos estilísticos y semánticos del vocabulario poético de Unamuno,* Cuadernos de la cátedra Miguel de Unamuno, volumen IX, 1959, pág. 77.

escaso y nulo valor artístico Unamuno decidió conservarlo, por otra razón. Cuál fuera no es difícil presumirlo, pero, si hubiera duda, el prólogo citado la eliminará en seguida: "...parece como si este retoñar de canciones —casi cada día me trae la suya, siquiera una sentencia fugitiva— fuese que mi alma quiere vaciarse de todo lo que tiene que decir antes de entrar en el eterno silencio del reposo. Pero ¿por qué no las cierno y selecciono y dejo las unas para no publicar luego sino las otras? ¿Y cuáles sí y cuáles otras no? Todas, buenas y malas, mejores y peores.

"Todas, sí, pues son miembros de un solo cuerpo al que no me cabe cercenar ni mochar; todas. Las buenas abonarán a las malas y las malas no malearán a las buenas... Unas y otras, y todas, se completarán y se conllevarán. La poda puede hacer un jardín urbano, pero deshace un bosque montañés. Lo mejor que puede haber aquí necesita, para su mejor disfrute, de lo peor que se haya deslizado. Con los desechos se abona —esto es: se hace bueno— lo escogido. Quede, pues, todo" [16].

Está claro que quien habla no es un esteta, sino un hombre que en cada verso puso algo irremplazable, cuya pérdida sentiría casi físicamente, como una mutilación. El poeta, ¡bien lo sabía él!, se está antologizando sin cesar, pero quien desea revelarse íntegro no puede eliminar tal ejemplo de vuelo frustrado, tal grito sin vigor suficiente. Cada línea le parecía parte de un esfuerzo sagrado, puesto que dirigido a mantenerle en lo que era. Se recordará aquella página de *El sentimiento trágico de la vida* donde, comentando la *Ética* de Spinoza, subraya lo dicho por éste respecto a que "el esfuerzo con que cada cosa trata de perseverar en su ser no es sino la esencia actual de la cosa misma" [17]: la desigualdad en el resultado no implica relajamiento de la tensión, y hasta servirá para delinear con trazo más firme la forma de esa vaga esencia equivalente a la existencia.

---

[16] *Cancionero,* págs. 35-36.
[17] *El sentimiento trágico de la vida,* cap. I, Renacimiento, Madrid, s. a., pág. 12.

Por eso la pregunta: ¿cuáles eliminar? Aplicando un criterio estético podría responderse, pero no si, conforme acabamos de ver, no importa tanto la belleza del poema aislado como la significación del conjunto. "Bosque" lo llama, y "selva" en otro pasaje, para subrayar su carácter unitario, pero con unidad que es suma de diversidades: junto a la encina crece la argoma, y es bosque la solidez de aquélla y lo es la fragilidad de ésta. "Quede, pues, todo", dijo, y sepan los antólogos del futuro que si violan el deseo de Unamuno será a costa del *Cancionero* mismo. Bellos, muy bellos son muchos de sus versos, pero aislados de los demás serían vistos y entendidos de otra manera; no que aislados pierdan, pero cambian, y el cambio puede alterar su sentido en relación con el conjunto.

Guillermo de Torre fue el primero en observar "que el *Cancionero* es esencialmente, antes que obra de arte deliberada, un documento íntimo, un legado testamentario donde se suman y refluyen casi todos los motivos esenciales de las más constantes preocupaciones y cogitaciones unamunescas" [18], y sin duda hay en este libro una última depuración y quintaesencia de los temas, de las inquietudes características del ser y el existir de Unamuno.

La espontaneidad y lo revuelto de sus páginas no quita valor poético, estrictamente poético a obra tan singular. Pocos libros de poesía más resueltamente naturales y confidenciales, es decir, líricos; en pocos se excluyó de modo más categórico "la literatura", las ideas recibidas, y, con ellas, las convenciones de la época. No es chocante, por lo tanto, verle revolverse, más irónico que airado, contra los cofrades que por creerle anticuado tal vez no le estimaran como poeta en tanto como él se valoraba.

---

[18] *El "Cancionero" póstumo de Unamuno*, en *Sur*, núm. 222, Buenos Aires, mayo-junio 1953, pág. 57.

DOS FRONTERAS

Uno de los primeros poemas del *Cancionero* (el 3, fechado el 28 de febrero de 1928) declara cuál era el estado de ánimo de Unamuno al comenzar a escribir este libro y da el tono de lo que llegó a ser. La idea de componerlo fue consecuencia de la rapidez con que los poemas fueron acumulándose. En el prólogo a la primera edición, Federico de Onís dijo: "la idea del nuevo libro le viene cuando el 11 de marzo, dos semanas después (de escribir la primera canción) y escritas no más que quince poesías, escribe en la poesía 16 su *Dedicatoria. Al Dios desconocido* (...). El 25 de marzo, cuando ya ha escrito cincuenta y tres poesías, da título a su libro, pero al hacerlo vacila entre dos: *Cancionero espiritual en la frontera del destierro* y *En la frontera. Cancionero*" [19]. Pronto, pues, tuvo conciencia de su obra, de lo que significaba y de que era fruto inmediato del destierro. En carta a Arturo Capdevila, el 31 de agosto de 1928, citaba el título con otra variante: *En la frontera: cancionero espiritual de un doble despatriado.* Transparente alusión. Así, tiene razón Onís cuando escribe: "el énfasis está en la 'frontera', que no es sólo la de la patria sino 'la frontera del cielo', la linde entre la vida y la muerte, que ha sido el tema constante de Unamuno pero que ahora al llegar a la vejez y el acabamiento va a iluminarse con un resplandor de puesta de sol —"es mi sol que se está poniendo"— que presta luz nueva al alma de Unamuno y a su mundo lírico en los nueve años que aún va a vivir acercándose a la muerte, acercamiento gradual que este cancionero día a día refleja" [20].

La frontera y el destierro empiezan por ser la circunstancia concreta en que don Miguel se encuentra, no sólo en que está sino en que se halla y descubre las fuentes de donde la poesía

[19] *Cancionero*, Losada, Buenos Aires, 1953, págs. 10-11.
[20] *Ibidem*, pág. 11.

mana, al revivir, por inmersión en la jugosa naturaleza del país
vasco, impresiones y memorias de infancia. Siente así, con sensación fisiológica de angustia, la hermosura del paraíso perdido: belleza del campo en el que se querría entrañado y se sabe
transeúnte, susurrándole sin cesar el final inminente. Praderas
como éstas, montañas así le vieron asaltar la vida con puro y
confiante corazón, y cuando en 1928 las contempla idénticas a
las de ayer, padece su madurez como enfermedad mortal que
sobre quitarle fuerzas y energía le robó la alegría al privarle
de la fe. Querría que, según reza el verso de T. S. Eliot, en su
fin estuviera su comienzo, que los ecos de lo pasado no estuvieran tan apagados, y la poesía le brinda confortación:

> Vuelvo a cantar de nuevo
> mi primera canción,
> la que al brotar mi alma
> con el alma brotó [21].

Cántico espontáneo que nace con el ser y le sustituirá cuando falte. La poesía estalla en Fuerteventura y fluye caudalosa
hasta el retorno a la patria. (Luis Felipe Vivanco anotó que de
las 1755 poesías del *Cancionero*, 1408 fueron escritas en los
años 1928 y 1929, en Hendaya, cifra que disminuye enorme-
mente tan pronto como don Miguel sale del país vasco [22].) Paisaje, paisaje, alejamiento de las grandes ciudades, soledad y
menos compañía que de ordinario..., todo contribuyó a sumer-
girle en las aguas del recuerdo y de la nostalgia, y esta inmersión le hizo presentir agudamente la proximidad del fin. El
círculo se cerraba. ¡Si morir fuera de verdad desnacer, como
tantas veces dijera...! No más tarde del 14 de marzo de 1928
escribía la rima 28, ahora tan conocida:

---

[21] *Cancionero*, número 17.
[22] *Introducción a la poesía española contemporánea*, pág. 32.

Agranda la puerta, padre,
porque no puedo pasar;
la hiciste para los niños,
yo he crecido a mi pesar.

Si no me agrandas la puerta,
achícame, por piedad;
vuélveme a la edad bendita
en que vivir es soñar.

Quizá nunca imploró Unamuno con acento tan tierno el anhelo y la imposibilidad de su vivir como en estos versos: pide el milagro, que consistiría en retornar al paraíso y al ensueño. Sólo se sueña —se cree— en la infancia, y por esa razón, en líneas ulteriores del poema, imagina el fin de la vida como gradual descenso —¿o ascenso?— a la niñez. Es la idea expuesta por él en un magnífico artículo de 1923, "La lanzadera del tiempo"; regresar al ayer y hacerse literalmente niño, criatura "virginal", no herida por el conocimiento y por la razón, aniquiladores de la creencia. Algo semejante a lo anhelado por Augusto Pérez en *Niebla*[23].

Que la frontera franco-española acabe siendo, en el *Cancionero*, símbolo de esa otra linde mencionada en la canción 13 y a la que Onís se refiere, es natural. La inclinación de Unamuno a trascender la circunstancia (después de vivirla intensamente, afirmándose en ella), alentada en este caso por el cúmulo de razones que le mantuvieron en prolongada tensión, le llevó a unificar en un solo espacio poético la sensación de vivir en la orilla de la patria y la emoción de sentirse entre la vida y la muerte. La vista del Bidasoa le traería el recuerdo del Nervión y las aguas del río fronterizo se fundirían en la imaginación con las del que sólo navegan los muertos.

---

[23] Y mucho después dramatizado por Armand Salacrou en *Sens interdit*, psicodrama en un acto. *Les temps modernes*, núm. 80, junio 1952, págs. 2145-2172.

Si para orientarnos en la selva del *Cancionero* buscamos el
hilo conductor, salta inmediatamente a la vista la conciencia de
la muerte, de un modo u otro reapareciente en los poemas, con
cualquier motivo, o sin más que la creciente congoja del presentimiento: "por las raíces colgantes / del alma me suben las
penas", dice en la rima 9; "descansarás hecho tierra / en tierra
que fue tu cuna", en la 12, y transparentemente en la 23:

> ¡Ay celda, que eres mi vida,
> que te deje quiere Dios,
> y al dejarte he de dejarte
> mi alma con esta canción!

MONODIÁLOGO INACABABLE

A lo largo de 1755 poemas monologó, más bien dialogó —y
casi es igual— con Dios. El Dios de su diálogo es el creador,
quien —como canta en el poema 41— "con mano de luz" le
hizo y después le dejó a la intemperie, expuesto a bravas tempestades. Dios, Cristo, Jesús, Redentor, Padre, Señor, Rey "sin
reino en este mundo"...; frente a él se siente "en la frontera
del cielo" y son sus orillas las que como látigos le avivan anhelos de eternidad. Lo que espera en ese borde —lo declara en
la canción 67— es que Dios lo haga suyo, le sume a su conciencia indestructible y a la vez le mantenga entero. No perderse en la conciencia divina, sino estar en ella sin perder en-
tereza, el ser que es indispensable preservar si la supervivencia
ha de tener sentido. Y como el viejo poeta, hecho "de tierra que
da hierro", todavía era recio y duro, su conversar con Dios
puede encresparse y las preguntas parecer reproches.

Ese conversar le consolaba, alentando sueños, insinuando la
realidad de verdades que pugnaba por encontrar, y llenando su
soledad. Diálogo de tonos cambiantes, siempre impregnado de
preocupación por la inmortalidad. Diálogo en que por fuerza

había de ser Miguel quien preguntara y se respondiera; quien expresara la inquietud, luego la duda, más tarde la esperanza. Las voces eran su voz, y con ellas intentaba calmar la soledad, el silencio de Dios a que se refiriera en aquel poema —n.º 86— donde se declara "solo en el Universo", y éste, solo igualmente, soterrado en su pecho. Si necesitaba soledad, "soledad íntima", era por oir en la callada que le respondía una palabra confortadora, aplicándole el "bálsamo", como lo llama en otros lugares, para sus heridas.

Y Miguel, al hablar por los dos, vivía. Callarse, confiesa en otra canción —n.º 99— hubiera sido "lo mismo que morir", anticipación de la muerte contra la cual luchaba con la palabra y en la palabra salvadora. Callándose, entregándose a la tentación de la paz circundante, se hubiera perdido, diluido en la blandura del campo, "sin odio y sin amor". ¿Podía aceptar ese nirvana, esa calma del retorno a la gigantesca matriz de donde naciera? Tal es el problema: la paz es pasiva; la calma, presentimiento de la nada. El ansia de retorno a la madre, a la tierra, es una falacia, modo de esquivar la muerte negándose a la vida. Volver a la infancia es diferente; ella es calma y a la vez vida; el niño —el hombre niñeante— siente ya y se siente seguro al cogerse de la mano del padre, mano y padre de que se soltó un día, sin saber cómo, hace mucho tiempo.

Los poemas del *Cancionero*, leídos como expresión de tales imposibilidades —diálogo con Dios, retorno a la infancia, inquietud existencial—, constituyen un *Corpus* sin antecedentes en la poesía española. Ansiedades oscuras, súbitos raptos de pasión, vértigo de incertidumbres, la duda como tema vital —y no retórico, como en las tonantes declamaciones de Núñez de Arce—, cantan e incitan a mirar al misterioso ámbito donde rumores, ecos, gritos se mezclan y dan en su fusión notas inesperadas en acentos insólitos. La novedad no es tanto temática como de tono, y el tono no me parece decimonónico sino intemporal. ¡Cuánta claridad en ese misterio! Es más difícil llegar al fondo de la sencillez machadesca, erizada de enigmas, que al

de las sombras unamunianas. Y tal no es la menor de las para-
dojas sugeridas por el paralelo Unamuno-Machado. Unamuno,
enérgico y positivo, incluso en la duda afirmaba; su voluntad
era tan vigorosa que a todo se imponía. Esa voluntad hace parecer menos densas y oscuras que la de otros mundos poéticos
las nieblas entre las cuales vaga. El *Cancionero,* microcosmos
en donde Unamuno se refleja, incomparable autobiografía lírica del alma, no perdió intensidad, aunque sí extensión, en los
años posteriores al destierro. En lo sustancial no cambia; al
variar la circunstancia desaparecen o casi los poemas impreca-
torios y políticos y surgen signos precursores de otras obras,
como, por ejemplo, de *San Manuel Bueno, mártir.* En los romances 1459 y 1463 se oye la primera nota que presagia la fabulosa sonata de tres años después [24]. Escritos el 3 y el 16 de
junio de 1930, son consecuencia directa de la visita, el día primero de ese mes y año, al lago de Sanabria, donde, según la
leyenda, yace sumergida una aldea, novelada por don Miguel.
En el 1466 llama "confesión" al "rimado diario", y desde ahí
hasta el final los versos surgen más y más ceñidos al drama íntimo: los nombres de España concentran y no dispersan su meditación en torno al "siempre y nunca": Peñas de Neila, Medina, Carrión, Ávila, Fuentes de Nava... La excursión a la cueva
de Altamira le impulsó a escribir en cuatro romances —números 1562-1565— una curiosa interpretación de España y del
simbólico león español.

  1931 fue un año casi en blanco para el diario íntimo. Todo
él, y gran parte de los dos siguientes, lo consumió la lucha civil.
En 1934 murió Concha Lizárraga, "compañera en el terrestre
viaje", y en varios poemas se registra la realidad y la hondura
del desamparo padecido por don Miguel. Tras los diecisiete
de 1935, los patéticos de 1936; en ellos quedó constancia de
la última salida al extranjero —Londres y París— en febrero y

---

[24] En la misma novela desarrolló otra canción de este libro: la
1176 sobre "Blas, el bobo de la aldea".

marzo, y, entre líneas, constancia de la guerra entre españoles comenzada el 18 de julio de ese año, final de su vida.

Nada cuadraría mejor a estos poemas que llamarlos poemas del presentimiento: presentimiento de catástrofe en el 1739, día 3 de marzo —"lleva temores el río / hacia la mar en demencia"—; presentimiento del fin próximo en los escritos desde el 28 de octubre al 28 de diciembre, tres días antes de su fallecimiento. En esas pocas poesías (13, número fatídico), y en la precedente, compuesta el día de sus setenta y dos años, sólo un tema: la espera de la muerte, cuya sigilosa entrada en escena profetizara Unamuno treinta años antes; muerte que le prometía sueño sin pesadilla, cumplimiento de destino.

Aceleradamente va despegándose de las cosas terrenales, y no por indiferencia, pues la guerra civil le hirió muy dentro, sino por sentir la llamada de la eternidad. Si un momento parece escapar al agobio, como cuando un periodista francés le recuerda versos de Ronsard y Nerval [25], es para sentir en seguida con mayor pesadumbre "la suerte de España desastrosa", soñando desde la "cárcel desdichosa" del presente con los "días de la libre Francia", ocho, diez años antes... Y si el presentimiento de la muerte cercana le aterra es porque realmente ya no vive, y lo sabe. El hombre que fue no existe; se hundió en el abismo de la memoria y si de allí lo extrajera ¿le reconocería?

Tres días antes de morir, el 28 de diciembre, escribió el poema 1755, un soneto que asombrosamente resume en forma más sespiriana que calderoniana el tema muerte-sueño, vida-sueño, cerrando el libro y la vida, del modo más unamunesco, con una serie de interrogantes:

> Morir soñando, sí, mas si se sueña
> morir, la muerte es sueño; una ventana
> hacia el vacío; no soñar; nirvana;

---

25 Un verso de Nerval, "J'ai revé dans la grotte où nage la sirène", sirve de epígrafe al poema 1224 del *Cancionero*.

del tiempo al fin la eternidad se adueña.

....

¿Soñar la muerte no es matar el sueño?
¿Vivir el sueño no es matar la vida?
¿A qué poner en ello tanto empeño,
aprender lo que al punto al fin se olvida,
escudriñando el implacable ceño
—cielo desierto— del eterno Dueño?

Las postreras líneas se refieren a la inquietud nunca apaciguada, pero sin agonía, como quien plantea desde la serenidad una cuestión resuelta. El proceso estaba concluso; el juicio visto para sentencia. El cielo-ceño de Dios, desierto, y el "eterno Dueño", aquel Gran Cero de que dijo Antonio Machado. Pero este final no lo decidió Unamuno, sino el destino. En cierto sentido puede decirse que el *Cancionero* era un libro inacabable, e inacabado había de quedar.

TEATRO DEL ALMA

Paradójicamente, el principio podría enunciarse así: cuanto más representa, mejor afirma el personaje su realidad. Y con palabras de Unamuno en la extensa introducción a *El hermano Juan*, la apostilla clarificadora: "toda la grandeza ideal, toda la realidad universal y eterna, esto es: histórica, de Don Juan Tenorio consiste en que es el personaje más eminentemente teatral, representativo, histórico; en que está siempre representando, es decir, representándose a sí mismo".

Veamos ahora en el Juan, sin don, del drama unamuniano. Vive, o se deja vivir, en el teatro, que es su mundo. Está a la vez en el centro de la acción y al margen de ella, como el piloto que se arriesga volando hasta el ojo del huracán para informar de su fuerza. Es el centro porque los demás le rodean, le cercan, le presionan; se siente eje de los acontecimientos, pero impulsado por ellos. Mientras los otros van y vienen, él está quieto, esperándolos quizá, sabiendo de antemano cuándo vendrán y para qué.

Esos otros —Inés, Elvira, Antonio, Benito...— dan lugar a escenas deshilvanadas en las que Juan participa sin comprometerse. Espectador tanto como actor, parece asistir con relativa curiosidad al acontecer tejido en torno suyo, pero interponiendo distancia entre él y el suceso. A ratos no está seguro de nada; ni siquiera de sus sentimientos. Viéndole moverse en la vaguedad de una leyenda empequeñecida, de un donjuanismo de bolsillo, convendría preguntarle, como el enfermo de un sanatorio de Sarriá preguntó en cierta ocasión a Unamuno, si de verdad era el auténtico Unamuno, el Juan "auténtico y no el que viene pintado en los papeles". Y el personaje no tardaría en decirse, como se dijo el autor, "si el pobre enajenado tendría razón"[1]; pues tiene conciencia de que la suya es expresión de los papeles, o del papel que representa.

¿Acaso hay otra? El propio don Miguel respondió —o se respondió— afirmando que sólo Dios sabe quién es el hombre auténtico entre los hombres posibles. Nosotros hemos de resignarnos con lo que está a nuestro alcance, descubriendo o tratando de descubrir la realidad en la representación. A un converso que pretendía aleccionarle y acaso convencerle le decía en un escrito tardío: "Usted me parece un actor; un actor sincero y acaso ingenuo, pero un actor. Usted está representando o, mejor, representándose a sí mismo en el escenario de su propia conciencia como converso. Se ve usted más interesante"[2]. Y es el caso del hermano Juan, con una diferencia: éste sabe que vivir es representar, mientras el corresponsal de don Miguel se ilusiona imaginando vivir una realidad transfigurada por la fe.

Para los dos, el converso y el personaje, vida y papel se identifican, mas Juan podría pasarse sin público, sintiendo a los comparsas como accesorios del drama personal. Ya en *Paz en la guerra*, la primera novela, creó Unamuno un personaje a quien sólo importaba la vida interior. Es don Joaquín, viejo piadoso que hace del alma campo de batalla contra el enemigo malo; comparada con tan trascendente guerra, la civil en que se desangraba la patria parecíale cosa de poca monta. Todo lo exterior, por grave y sensacional que fuera, se le antojaba mo-

[1] "Autenticidad", en *Visiones y comentarios*, Austral, pág. 27.

[2] "Conversión y diversión", en *Visiones y comentarios*, Austral, página 125.

nótono frente a "la inagotable variedad" de la conciencia en movimiento.

En última instancia, Juan no dependerá de otro público que de sí —como Miguel—: del Juan espectador, atento al ser que en la representación se exhibe. El hermano Juan no intenta convencer al público, sino convencerse. Representa para colmar el hueco de su alma, y si se vuelve a los demás es buscando en ellos el reflejo de la leyenda que quisiera encarnar. Los espectadores, al creer en él, le darán —literalmente— vida, como los personajes, cuya actividad le constituye. Sus primeras palabras son para declarar que no acaba de entenderse... ¡Claro! Es un proceso de nunca acabar. ¿Cuál fue su vida hasta comenzar el drama? ¿Tiene secreto? Los demás así lo creen y obran partiendo de tal creencia, siquiera a la vez barrunten la verdad, que él ni oculta ni niega: "En este teatro del mundo, cada cual nace condenado a un papel, y hay que llenarlo so pena de vida...".

En *Niebla*, el protagonista, Augusto Pérez, se había planteado, dialogando con el perro Orfeo —es decir, monologando—, el mismo problema: "No hacemos sino representar cada uno su papel. ¡Todos personas, todos caretas, todos cómicos! Nadie sufre ni goza lo que dice y expresa, y acaso cree que goza y sufre; si no, no se podría vivir. En el fondo estamos tan tranquilos" [3]. Y esa tranquilidad desconcierta en el hermano Juan, cuyo querer ser no es suficiente para inducirle a la acción; como Augusto, tiene conciencia de que sus afanes y preocupaciones son esencialmente invenciones de la imaginación.

SINGULARIDADES, IRREGULARIDADES

El papel a que nació condenado el protagonista de *El hermano Juan* es el de don Juan, ente literario sin existencia fuera

---

[3] *Niebla,* cap. XVIII.

de las tablas y que, claro está, no es creación unamunesca, sino personaje anterior a ella, preexistente en un ámbito donde las figuras artísticas se codean con las reales y hasta se confunden con ellas. Fernando Lázaro considera que "el valor casi único del drama estriba en lo que tiene de ilustrativo acerca de la psicología del burlador y de su relación con las mujeres" [4], seducidas por compasión y no por amor. Más adelante volveré sobre este punto, una de las novedades relevantes de la obra. Déjeseme anticipar que el donjuanismo sirve aquí de cobertura al problema de la personalidad, constante preocupación del dramaturgo.

El hermano Juan es una de las últimas aportaciones hechas por Unamuno para iluminar ese problema y condensa mucho de lo dicho y escrito por él desde treinta años atrás. Don Miguel quiso, como siempre, exponer su propio caso. Juan —semejante en esto al autor— vive en escena, y no trata de ocultarlo. Tiene una obsesión: la de la Muerte, a quien siempre siente próxima. Lejos de burlador o engañador, juega a cartas vistas y desengaña a Inés, a Elvira: "no puedo quererte..., no sé querer..., no quiero querer...". Si las mujeres le siguen es para hacerle cumplir su destino. Él quiere lo imposible y se confina en ese querer; los diálogos son con frecuencia abruptos, a veces incongruentes; salta de una observación a otra y de una actitud a la opuesta, siguiendo el vaivén de su discurrir. Si las actitudes parecen inconexas, la inconexión es aparente: tienen sentido y coherencia dentro del sistema de súbitas oscilaciones gracias a las cuales irán revelándose facetas de una personalidad difusa.

El encuentro entre Inés y Elvira, cuando se disputan, no el amor de Juan (a quien se diría extramuros de la cuestión), sino a Juan mismo, está a punto de degenerar en riña de plazuela; es una "escena" en donde el supuesto conquistador les deja la

---

4 "El teatro de Unamuno", en *Cuadernos de la cátedra Miguel de Unamuno*, núm. VII, pág. 27.

iniciativa. Benito, enamorado de Inés, les llama "comediantes", e igualmente lo es él, hablando según manda el papel, apareciendo y desapareciendo cuando conviene al autor, sin justificación suficiente. Arbitrarias entradas o salidas de escena que se repiten en los demás personajes. De la inexplicable llegada al parque del padre Teófilo se dice que ocurrió "por arte de birlibirloque", y Juan proporciona la clave de los incidentes de esa clase al añadir: "el Sumo Hacedor nos mueve muy al azar de su divino capricho a sus muñecos para divertirse con nosotros..., pero anda escaso de técnica escénica...". Y con estas palabras aclara el problema de fondo y las abruptas quebraduras del drama: la identificación hombre-muñeco, de la cual se deduce que llamamos "destino" a la acción prevista y trazada por la mano que escribió la obra. Los descuidos técnicos son consecuencia de una concepción antirrealista del drama. El realista necesita explicar lógicamente pasos que en el contexto de la vida predestinada están intrínsecamente justificados como elementos llamados a corroborar la predestinación.

Si tradujéramos "Sumo Hacedor" por "autor del drama" entraríamos en la equiparación vida-comedia, mundo-escenario y en la consabida analogía entre hombre y personaje, a la vez creados libres y sometidos a la voluntad del creador. Hechos a semejanza de éste, vivirán el drama para conocerse y descubrir los límites de su libertad. Representando aprenderán a ensimismarse y a enajenarse, polos entre los cuales oscila el ser del hombre, de cualquier hombre, como, por ejemplo, del hermano Juan, a quien sentimos buceando en aguas del alma para ver si en ellas hay rastro del arquetipo donjuanesco que se atribuye. Piensa que ha vivido otras vidas pero en la memoria no queda huella del pasado, y su persona actual es distinta de la supuesta en la leyenda.

Distinta e imprecisa. Se deja forjar por las mujeres para encontrarse en la imagen que le proponen, pero no tardan en ganarle la desgana y la indiferencia. El papel le aburre; solamente revive cuando le roza la llamada de la muerte. Y hasta cuando se prepara para encontrarla, su espontaneidad se evapora de pronto y recae en el histrionismo. Si pretende afirmarse en la vida, pisar tierra sólida, no tarda en descorazonarse al sentirse sobre las tablas. ¡Qué desesperación le invade al sentirse fuera del mundo real, al constatar que el mundo tiene consistencia de escenario, y no más! Si, como Elvira le recomienda, ni mira hacia atrás ni hacia adelante, a Juan le quedará sólo ese fugaz instante de representación.

Su sustancia, si alguna tiene, es mental; es un manojo de cuestiones, dudas e inquietudes. No hace nada, no quiere hacer nada. Vive, no ya de recuerdos, sino de sombras de recuerdos o, mejor dicho, de espejismos que se le antojan recuerdos. ¿Reencarnación de don Juan? Digámoslo sin rodeos: idea nacida en el cerebro de Unamuno, pugnante por adquirir individualidad, por convertirse en otra cosa, y ser, autónomamente; una idea empeñada en vivir su vida. Recuérdese la pregunta con que se abre el prólogo a *El hermano Juan;* "¿Es el hombre una idea encarnada —en carne de ficción—, o es la idea un hombre historiado, eternizado así?". Lo decisivo, en todo caso, será la relación entre hombre e idea, el cómo uno y otra están irrevocablemente ligados. Juan y la idea de don Juan son lo mismo; de ella vive el personaje. Teatrales ambos y mundanales los dos, porque entre mundo y teatro no hay diferencia.

UN DON JUAN ESPECTRAL

Don Juan, según Unamuno, no sabe quién es, como lo sabía don Quijote, sino lo que representa; se siente "siempre soñándose y siempre haciendo que le sueñen, siempre soñado por sus queridas. Y soñándose en ellas". Piensa que en el sueño y la imaginación de éstas puede empezar a serse (a sentirse ser); el reflejo de los sueños femeninos tal vez le ayude a crearse, pues la idea prenderá mejor en la ficción conforme vayan moldeándola las mujeres, que en el drama sólo ambiguamente pueden ser llamadas sus queridas.

Si la vanidad es un signo del don Juan tradicional (la vanidad le lleva a alardear de sus conquistas, y en el alarde y no en la conquista radica su satisfacción), el hermano Juan no encaja en el tipo. Tampoco le descubriremos resabios de rebeldía "satánica"; ni es dado a la jactancia, ni al orgullo. ¿Por qué se enamoran de él? Por el prestigio del tipo, o más bien del arquetipo, residual en este avatar de pequeño burgués imaginativo. Según le vemos en el drama, nada justificaría los amores que todavía despierta, sin quererlo. En opinión de Unamuno, las mujeres se enamoran de Juan por compasión "maternal", para no hacerle sufrir, y por "regodeo de sentirse distinguida la preferida y de distinguirse así". Si esto fuera verdad, tendría razón al añadir: "¡Pobre don Juan!", y pobre, ciertamente, el hermano Juan ligado a quienes, si estuvieran enamoradas, no lo estarían de él, sino de los vestigios del arquetipo que vislumbran en el fondo de la escurridiza personalidad.

Si le abandonan y marchan con otros es por imposibilidad de transformar la ceniza en fuego, la disponibilidad en sustancia. Juan ve partir primero a Inés y luego a Elvira y no siente pesar; más bien alivio. Y, por supuesto, su indiferencia nada tiene que ver con la conciencia. Si pecado hubo, no dejó resonancia. Se habla de una muchacha, Matilde, suicidada por su culpa, o por su amor, pero de ella apenas le queda recuerdo. Como si en la memoria se diluyeran los sucesos pretéritos y se fundieran con los vividos —representados— por otras encarnaciones donjuanescas.

"Confieso —dice Unamuno en el prólogo— que estas pobres mujeres que pasan por el tablado de mi *El hermano Juan* están apenas delineadas." Y tal puede ser la causa del fracaso en su empresa de transformar el Juan real en el don Juan deseado. ¿Cómo podrían esas mujeres darle la carne y la sangre que no tenían? ¿De dónde tomar alimentos para nutrirle y crecerle y sacarle de la mente en que vive? Elvira se empeña en

averiguar el secreto del Tenorio que Juan fue algún día, y las
precisiones ofrecidas por él acaban en grotesca cháchara y en
la decisión, adoptada por ella, de volver los dos a Renada, la
ciudad, dos veces nada (y donde se renace), de la novelería unamuniana.

El viaje a Renada puede ser símbolo del retorno a los orígenes, a la ciudad y al hogar natal, para buscar en lo pasado la
perdida clave de lo presente. Nacer es, según Unamuno, el
único acto no teatral de la existencia. Y Elvira quiere que Juan
se acerque a la infancia y al ayer, reales, para despertarle de
la irreal soñarrera en que le siente extraviarse. Trata de estimu-
larle, de agitarle, pero inútilmente. Cuando cree atraerle, cuando cree haberle atraído, campanadas distantes lo alejan y lo
acercan a la presencia oscura que le obsesiona. A través de
Elvira, y en sus palabras, desfilan sombras difusas: Encarna-
ción, Milagros..., víctimas de Juan, aunque es difícil suponer
cómo. En el diálogo con Elvira se limita a desengañarla y a
recomendarla otro hombre, el rival que aparecerá de repente.

Si el conjuro no da resultado, si Elvira no puede con su
amor, con su querer —pues de voluntad se trata, ante todo—
crear el Juan imaginado, es por imposibilidad de deshacer primero el vago ente de anhelos indecisos que él siente palpitán-
dole muy dentro. Y Juan no acierta a trazar el argumento de
la obra, a encauzar la acción, porque cada personaje va a lo
suyo y sale a representar su escena y a lucirse en ella. Entra
doña Petra, madre de la muchacha suicida, y la retórica romántica, excesiva, lo anega todo; sobre la palabrería de la señora
flota la convicción del hombre, cuando, contestando a sus reproches, la dice que no es sino como ellas lo hacen: "¡Si soy
su hechura!".

Que Antonio, el enamorado de Elvira, sea médico, y más,
psiquiatra, no es casualidad. Él podría curarla, "hacerla entrar
en madre", como dice Juan con transparente juego de palabras,
dando a entender que la maternidad la devolverá la razón. El
médico puede ver lúcidamente la situación y diagnosticar el

caso con acierto: "Los dos estáis soñando... Algo peor: representando una pesadilla...". Y sin acusarlo, registrando sencillamente el hecho, advierte a Juan cómo con esa representación va "sembrando desdichas, acaso íntimas tragedias". Constatación obligada: quien se posesiona de su papel, sufre cuando las acotaciones lo indican, y no por ser inventado duele el amor menos, ni menos de verdad. En pura teoría unamunesca, amar es querer amar, como creer es querer creer.

En el caso de las mujeres por aquí delirantes (más bien que actuantes), ser amada es querer ser amada. La imaginación pone el resto. Juan desengaña a Inés, hablándola claro. Pero Inés se niega a creer las verdades desnudas: "Hablar..., hablar... —objeta en su reaparición del segundo acto—. Una cosa decían tus labios; otra, tus ojos que me devoraban...". Y el espectador, recordando la escena de marras, se pregunta cuándo lucieron con apetencia los ojos del apático y cansado varón, inmerso en su sueño de reencarnado.

El diagnóstico del psiquiatra es terminante: Juan aparenta lo que no es y engaña a una mujer con otra, dejándola suponer que esa otra ha sido suya. Así, todas pueden pensar que él vive aventuras secretas, y en dejarlas imaginar lo que no es consiste el engaño; niega su donjuanismo presente para que llenen con invenciones la página en blanco; en lo escrito por Inés, por Elvira, por Rosa, leerá la historia que confirme sus antojos de soñador. Si las desdeña es para vengarse de no poder creer en la imagen que le presentan, como si la incapacidad para sugestionarse se debiera a fallos de las muchachas.

Juan querría, como sabemos, engañarse a sí mismo: "no sabes querer ni a una ni a otra, ni a nadie", le dice Antonio, y la impotencia del alma se debe a inseguridad respecto al papel que representa. ¿Cómo podría el Yo comprometerse si ni siquiera está seguro de existir? Representación y más representación: dejarlas creer en la máscara y no llevarla, para que puedan imaginarla mejor, sin sugerencias del cartón pintado. No actuar: estar en el escenario, con las ropas del Tenorio tradi-

cional y el rostro sin maquillaje; dialogar consigo y preguntar-
se quién es el forjado por ellas y por ellos, tratando de averiguar si hay algo sólido en su mundo o si lo más sólido es la
madera del escenario —"¡Mi hermana mesa!, ¡mi hermana
silla!", fantasmales igualmente—, de la historia en que se afianza. La historia, donde "desfila la película... de los héroes ca-
sineros", según dijo Unamuno en *Cómo se hace una novela,* ni
más real ni menos teatral que el ámbito en que se sueña el
personaje: el de la conciencia.

EL GRAN GALEOTO

Al final del segundo acto, abandonado de las mujeres, Juan
empieza a ser don Juan, un solitario. La irremediable soledad,
corolario lógico del donjuanismo, de la trágica tendencia a vivir
para sí y en sí, sin entregarse a la mujer y hacerse uno con ella.
Soledad agónica, en este caso: todo el tercer acto es lenta preparación para la escena final, la de la muerte. Juan ingresó en
un convento y es el hermano Juan, moribundo esforzándose en
desempeñar como se debe el papel de tal, preparándose a morir
bien, es decir, con la teatralidad exigible al actor de cartel.

Conforme se acerca la hora siente más agudamente su condición de instrumento, juguete de Dios, títere movido por cuerda, desde arriba. Representar al dictado, pero representar con
entusiasmo, y así redimirse y alzarse, mediante el éxito, a la altura del empresario. Hacer de la representación creación y apro-
piarse del papel, para que en lo sucesivo nadie ose atribuírselo.
El padre Teófilo le apremia para que diga si cree en encarnaciones anteriores, si cree haber vivido otras vidas. Y le contesta
afirmativamente, puntualizando que no se cree descendiente
carnal de don Juan Tenorio porque éste ni tuvo ni pudo tener
hijos, precisamente por ser quien fue.

En el drama, Juan es la figura del mito actualizada según el
sentir unamunesco. Ya lo dije: ni conquistador, ni satánico.
¿Qué, pues? Galeoto, celestino, maestro en sutiles tercerías.

Provoca el amor en las mujeres, las despierta al sentimiento y luego las pasa a otros. Y por extrema perversión, que ya se daba en la protagonista de *La tía Tula,* piensa que mientras gozan con esos otros, piensan en él, amante de corazón cuyo recuerdo hará su deleite más refinado. Por un lado, "¡condenado a ser siempre él mismo..., a no poder ser otro..., a no darse a otro...", y al mismo tiempo pensando: "Mi destino no fue robar amores, no, no lo fue, sino que fue encenderlos y atizarlos para que otros se calentaran a su brasa... Soñando en mí y en palpitantes brazos de otros concibieron no pocas locas de amores imposibles. Así se encintaron...". La identificación con Cupido, el arquero, viene a renglón seguido. Don Juan será, pues, amor, riesgo, catástrofe, contra cuya amenaza la mujer puede encontrar refugio en la costumbre, de quien depende la continuidad de la vida.

Hasta el final teatralidad, cuidado por los efectos, previsión de dónde y cómo se caerá, latiguillos. Si Juan se sabe marioneta es lógico que disponga entradas y salidas sin preocuparse de la verosimilitud: la voluntad del autor se mueve sin trabas, y convoca a sus títeres con sólo dar un tironcillo de la cuerda. Bien mirado, el diálogo con ellos es prolongación del monólogo, cuyo único tema es la pregunta existencial. A los demás, como a sí propio, les dice quién es, o quién cree ser, para ver si les graba y se graba la imagen, sugestionándoles y autosugestionándose hasta sentirse conforme se desea.

Empeñado en ser don Juan, el protagonista del drama quiere establecer la identidad entre sueño y representación, entre sueño y vida, y de ahí la desesperación mansa que se trasluce. Soñarse, sí, y representarse, pero sin más. Unamuno mismo dijo: "hay que despertar al durmiente que sueña el sueño que es la vida"[5]; las almas sencillas no por eso perderán la fe. El hermano Juan se aferra a la propia, a la fe en el nombre y en el mito que considera suyos. Cuando la congoja se disimula,

---

[5] "Almas sencillas", en *Visiones y comentarios,* Austral, pág. 19.

como en este caso, tras la chirigota, el espectador puede no
verla, y en último extremo pensar que es parte del papel. Me-
nester será entender el sufrimiento representado como sufrimiento vivido, y si Antonio sonríe cuando Juan le asegura padecer por los pecados de sus encarnaciones precedentes, yerra
como médico y como hombre: la conciencia del protagonista,
donde acontece el drama, soporta en verdad la carga de esos
destinos.

Las escenas finales de amor y reconciliación son acusadas
teatralerías; se comprende el respingo de Benito e Inés, y que
la enamorada de ayer pregunte al desvaído héroe: "¿Es que
sigue la comedia, farandulero?". La comedia que le reprocha no
es la del engaño, pues ella se dejó pescar sin carnada, sino la
consustancial con el ser de Juan. Pesadamente gravita en el diálogo un humor singular, con ribetes de chabacanería, desconcertante a menudo. Fernando Lázaro señaló [6] los popularismos
desplazados, distorsión verbal, antítesis paradójicas que se dan
en el teatro de Unamuno. Y en ningún texto de don Miguel
son tales singularidades más enojosas y obvias. Conviene tener-
las en cuenta, pues sin duda añadieron sombras a este drama,
de suyo tan misterioso.

MISTERIOS

Misterio —como a *El otro*— pudo llamarlo, y no lo es menos. Pero lo apodó "vieja comedia nueva", para anunciar algo
que consideraba decisivo: la reiteración en forma distinta de
un tema "viejo", es decir, eterno. El mundo como teatro, claro,
y el tema, ¿quién es don Juan?, para abordar el candente y
siempre actual: ¿quién soy yo? Misterio que perturba a Juan,
como perturbó a Unamuno, especialmente en los años de Hendaya. Desde 1924 a 1929, cuando increpaba desde la frontera de

---

[6] "El teatro de Unamuno", págs. 13-15. Análogos fenómenos he
señalado en la novela esperpéntica *Amor y pedagogía.*

Francia a los gobernantes que dominaban la patria, viendo pasar la película de la historia y como reacción contra la presión de las circunstancias que le obligaban a intervenir, y tan acusadamente, en la lucha política, don Miguel se sumergió en los abismos de la problemática intemporal y escribió la trilogía dramática del destierro: *Sombras de sueño* (primero titulada *Tulio Montalbán y Julio Macedo*) y *El otro*, en 1926, y *El hermano Juan o El mundo es teatro*, en 1927 ó 1928.

Los dos primeros dramas tenían precedentes en la obra narrativa de Unamuno: en una novela corta y un cuento, respectivamente; *El hermano Juan*, no. Sí es posible, y Manuel García Blanco lo hizo, rastrear en ensayos y artículos de don Miguel ideas que pasaron con parva o nula alteración a la pieza teatral, pero tal integración es la acostumbrada en su proceso creativo y no altera el hecho de que el drama se pensara y escribiera de un tirón. De ahí que la dificultad del asunto parezca acrecida por un evidente desdén de las exigencias técnicas. Presentar el personaje como apariencia pugnante por adquirir sustancia —y tal fue el empeño de Unamuno en este trance—, reduciéndolo a mero esquema, nebuloso además, imponía un ambiente también esquemático, reducido a lo esencial, y tan descarnado como el de las nivolas. Pero en el teatro la acción interior ha de manifestarse en forma dramática, y de la realidad profunda se juzga por lo que se oye y se ve. Tal realidad sólo parcialmente se declara, pues el personaje obseso no sale de su obsesión. Los diálogos son monodiálogos cruzados: cada cuerdo con su tema y al diablo la "psicología". Nadie se cuida de ajustar su papel al de las restantes figuras; dicen su parte cuando le place —o cuando place al autor—, de espaldas a cualquier presunta acción dramática.

Quizá por eso la crítica se sintió desamparada frente a esta obra. Falta lo que suele llamarse acción; para sustituirla, y a través del monodiálogo de Juan, se brinda una exposición de la vida como creación, de la vida forjada en la representación. Cada escena acerca un poco más a la idea del donjuanismo como tercería. Si pensamos en el don Juan tradicional, en el de Tirso, o en el romántico, de Zorrilla, ese acercamiento parecerá chocante, pero si recordamos la concepción unamuniana, el comportamiento del hermano Juan, desengañando para engañar, resultará coherente y claro [7].

El ayer aparece ambiguo, equívoco. En el pasado de Juan, ¿de verdad hubo seducciones, amores de verdad? Probablemente no; lo pasado es sueño, y aquí no se presenta según suele, cristalizado, definido, sino como otra incógnita. Podemos prolongar el indeciso presente hacia el ayer y hacia el mañana y siempre encontraremos idéntica figura en disponibilidad, esforzándose por cuajar en la representación de su papel.

Que al final lo hallemos en el convento, como "hermano", y no como "padre", responde a la simbología del personaje. Al negarse a la relación amorosa total, lanzando las mujeres en brazos de otros, se niega a la paternidad redentora, a lo que pudiera asegurar su salvación, confinándose en esa hermandad consonante con la figura que lleva dentro. La soledad se compensa por una posibilidad de perduración en el mito, a través de reencarnaciones futuras en las cuales seguirá representando igual papel, y en el mismo escenario. Escenario, permítaseme insistir, mental; sólo dentro del cerebro —del "alma", si se prefiere— es posible llevar a cabo el descubrimiento del yo en que Juan se empeña.

TEATRO DEL ALMA

Dejar hacer, dejar que le hagan las mujeres, es, visto desde otra vertiente, sutil mecanismo de dominio, y la indiferencia

---

7 A raíz de publicarse *El hermano Juan*, preguntaba Pedro Salinas: "Pero ¿cree siquiera este mero don Juan en el don Juan eterno? Ciertamente, no. El don Juan de Unamuno es un escéptico del donjuanismo, no se conoce". Vid.: *Literatura española. Siglo XX*, Editorial Séneca, Méjico, 1961, pág. 145.

arma adecuada para conseguir los fines que el protagonista se propone. *El hermano Juan* resulta una de esas raras obras en que alma e idea coinciden. Mucho antes Unamuno había dicho: "Para cada alma hay una idea que le corresponde y que es como su fórmula, y andan las almas y las ideas buscándose las unas a las otras" [8]. Aquí se encontraron y fundieron hasta hacerse inseparables: el incesante representar lo impulsa el deseo del alma de ser según la idea es. Y la voluntad de identificación no es ni más ni menos que ansia de crear al hombre conforme a esa idea que se convierte en el proyecto que nos hace vivir. Y así, quien representa vive, pues lo hace para ser y parecer según el proyecto y la idea. La indiferencia al representar ajeno tiene un aspecto positivo y casi dinámico: de los demás aceptará Juan lo útil para sus fines, e ignorará o soslayará el resto. Para entenderse con ellos y con el mundo, aplicará un criterio inflexible: el de la utilidad para la constitución del yo.

Y esto acontecerá en él espontáneamente y en tal acontecer se revelará la textura unamuniana, la proyección del espíritu de Miguel en el del personaje. Unamuno sabía lo que representaba, y por qué lo representaba, soñándose. La indefinición entre vida, sueño y representación es Unamuno puro, como lo es el sentirse en escena, anhelar ser soñado por los otros y dejar nombre.

Nombre en que se aglutinan y toman cuerpo afanes dispersos; nombre que hace comprensible y definible la sustancia, la idea que dará al alma autenticidad o afán de autenticidad y a la vez la colmará de angustia. Lo uno no puede ir sin lo otro: el ser auténtico no se logrará sin lucha y esa lucha hará dudar y sufrir. Sufrimiento, porque la comedia o el sueño de la vida se encamina a un final que supone la extinción del comediante soñador. La muerte acabará el drama —y el hombre—. ¿No resulta entonces pueril esa prolongada tentativa del vivir repre-

---

[8] "El secreto de la vida", en *Ensayos*, Residencia de Estudiantes, volumen VII, pág. 54.

sentándose, inventando un ser que desaparecerá al caer el telón en el último acto? ¿No será loca empresa la de crearse para nada y para la nada? Al plantearse estas preguntas, con la incertidumbre brota la angustia, y, para superarla, el precario consuelo de la supervivencia en el mito.

La pregunta existencial queda incontestada, o, mejor dicho, abierta. La escena final e irrevocable, la muerte, no es respuesta, aunque ayude al espectador a formar opinión. Y esto: una opinión, es lo más que cabe arriesgar cuando se responde al "¿quién soy yo?" del hermano Juan, de Unamuno o de nosotros mismos. El misterio seguirá siendo, pues lo propio suyo es no tener solución; si la tuviera, de misterio pasaría a problema y quedaría al alcance de las inteligencias capaces de resolverlo.

Al final, Elvira pregunta a Juan quién es él "de verdad" —de verdad y no de ficción—. La respuesta sólo puede ser: "¿Lo sé yo?". Y gritando con inconfundible acento unamunesco, la dice: "¡Pero somos nada menos que todo un teatro!". No "todo un hombre", como el Alejandro Gómez de la famosa novela, sino un teatro, teatro del alma, ámbito del drama por donde pasan y actúan sombras de otros y la nuestra en el cruce de autodiálogos que es la vida. Reencarnación de un personaje teatral, sólo teatral podía ser la consistencia de Juan: de verdad no es sino ficción y en la ficción busca verdad. Descubre al demonio, a Satán, y lo descubre como personaje. ¿Y Dios, será también personaje del drama? ¿Consistirá en eso su ser? ¡Ah! Si así es, no hay más verdad que la representada, y mientras dura. La apariencia, como Unamuno dijo tantas veces, será el fondo; la entraña, el todo.

"Retablo de fantasmas". Sí, y en un drama que no llegó a escribir —*Maese Pedro* iba a titularse— el protagonista hubiera dialogado con las marionetas de su teatrillo como aquí Juan —o Miguel— con las lineales figuras del suyo. Tula, en su novela, acabó susurrando la confesión implícita en *El hermano Juan*: "muñecos todos". Y en tan desolada constatación, en lo más profundo de la desesperación —pues ese todo incluye a Tula como nos incluye a ti, lector, y a mí— creo encontrar la expresión de una creencia secreta, abismática, irracional. Pues si muñecos, pues si marionetas movidos por cuerda, quiere decirse que hay alguien que mueve los hilos, y ese alguien, autor de la farsa y de los títeres, podría convocarlos —convocarnos— más tarde a nueva y duradera representación.

SAQUEMOS A BAROJA DEL PURGATORIO

Pío Baroja, muerto en 1956, lleva más de doce años en el purgatorio de silencio en donde muy a menudo ingresan los escritores famosos pasada la fugaz alharaca necrológica que sigue a su fallecimiento. Es hora ya de esforzarse en sacarle de ese purgatorio y devolverle al mundo a que pertenece, es decir, devolverle al público no especializado, al público en general, constituido por gentes como tú, lector, y yo mismo en cuanto lector y no como crítico o profesor (es decir, pedante).

Si preguntamos a nuestro vecino, al hombre que alguna vez leyó una novela o un libro de los amenos y más bien arbitrarios artículos de Baroja, cuál es su opinión sobre éste, probablemente dirá que fue una especie de anarquista literario y por eso mismo inactual. La conclusión debiera ser exactamente la contraria : por eso mismo actual. El "anarquismo" es etiqueta vaga, imprecisa, pero no equivocada en cuanto que en su imprecisión señala suficientemente el carácter general de la tentativa llevada a cabo por Baroja, en quien debiéramos recordar, ante todo, su constante hostilidad hacia el Estado y su denuncia lúcida e ininterrumpida de los riesgos que para el hombre moderno implica la tendencia creciente a someter la vida entera a la tutela estatal. So pretexto de organización y bienestar, so pretexto de protegernos, planear el futuro y hacernos felices, el Estado contemporáneo, en todas partes, en los países socialistas como en los capitalistas, amenaza sin cesar nuestro derecho a existir humana y sencillamente. Nuestro derecho, sobre todo, al disentimiento y a vivir al margen de la sociedad, si así lo deseamos.

Los jóvenes, creo yo, encontrarán en Baroja una lección de independencia y carácter que puede ser alentadora. El anticonformismo de don Pío que, por ejemplo, le llevó a rechazar la institucionalización del amor en el matrimonio, prefiriendo la neurosis a la aceptación de las normas sociales (incluida la "válvula" de la prostitución), es buena prueba de aquella tendencia romántica que tajantemente declaró con ocasión del banquete que le fue ofrecido para celebrar el éxito logrado por la novela realmente ejemplar titulada *Camino de perfección*. Baroja fue anti-todo porque advertía cómo de todas partes surgían corrientes adversas a la libertad individual: en el capitalismo y en el sindicalismo, en el semitismo y el antisemitismo, en el clericalismo y el anticlericalismo, en la ortodoxia y en la heterodoxia. Y lo que hizo su posición más congruente es que, siendo anticonformista general, se manifestó también antianticonformista, mostrando así que su anticonformismo no era una actitud, sino exigencia temperamental.

Según el fluir de los días, su posición podía cambiar y con frecuencia cambió; que le acusaran de contradictorio, lejos de ofensivo, le parecía elogioso. En su opinión, el intelectual tiene el deber de contradecirse, de ser "ondulante y diverso", como lo es el hombre, según ya Montaigne dijo, para adaptarse a las circunstancias que constituyen la vida. Y en una época, como la presente, de conformismo total y a veces totalitario, escritores como él hablan por el hombre que lucha contra la corriente, por ser sincero, incluso contra sus intereses y trata de olvidar las cautelas de que nos rodeamos para hacernos tolerables; representan al hombre que afirma su independencia y hasta su capricho contra el conformismo general. El conformismo, en última instancia, consiste en una dejación, en un consentir con la opinión ajena, sea del gobernante, de la sociedad o de una minoría más o menos agresiva. La sociedad actual ya no está regida por principios, sino por intereses, y reacciona como los perros de Pavlov al dictado de quienes crean esa opinión general, y la hacen cada vez más hostil al disentimiento. Los valores morales cuentan poco, si es que todavía cuentan algo, y la opinión es fácilmente manipulada gracias a los medios de comunicación masiva característicos de la época.

Si se me disculpa mencionar un testimonio personal, diré que la vida universitaria me ha permitido observar más de una vez el efecto que produce en los jóvenes el primer choque con la obra de Baroja. Si no es una revelación, sí es, cuando menos, una sorpresa y, como digo, un choque. Durante años, las familias y los llamados "educadores" han venido condicionándoles para "el ajuste". Incluso se ha llegado a pensar (y a practicar) que los muchachos que son diferentes o se sienten diferentes necesitan tratamiento psicológico. Cooperación a ultranza, espíritu de equipo, nivelación mental son los fines perseguidos por un proceso educativo que Baroja hubiera condenado enérgicamente. El ideal consiste en ser admitido, "pertenecer", ser como los demás, y todos según el modelo establecido por el burócrata (generalmente un "científico social") desde la mesa de su oficina. El destino del hombre, antes regido por las estrellas o por los dioses, lo determinan ahora hombres grises y petulantes en lujosas oficinas, agentes también previamente condicionados por la sociedad a la que sirven.

El pesimismo y el escepticismo de Baroja son algo que los jóvenes resienten, y no porque ellos (al menos los más lúcidos) sean optimistas sino porque, siendo jóvenes, su pesimismo es todavía relativo y discriminante: necesitan creer contra "la lógica" y la historia, en el valor y el sentido de la protesta. En una sociedad donde la castración espiritual se ha convertido en rito de iniciación, cualquier posibilidad, por mínima y frágil que sea, de escapar a la suerte prevista puede encender en los chicos una lucecita esperanzada. El pesimismo de Baroja, lugar común de críticos que aún no estamos en disposición de evitar, porque no lo hemos examinado a la luz de lo que significa en el contexto de su tiempo, es dato útil para entenderle. Es un pesimismo generalizado y casi absoluto. Leyendo sus obras, novelescas o no, encontramos manifiesta una desconfianza generalizada; en *El árbol de la ciencia* se dice de un personaje, que bien pudiera ser portavoz de las ideas del autor: "la vida en general, y sobre todo la suya, le parecía una cosa fea, turbia, dolorosa e indominable...; el mundo le parecía una mezcla de manicomio y de hospital; ser inteligente constituía una desgracia, y la felicidad sólo podía venir de la inconciencia, de la locura". En otra página, perteneciente a *El mundo es ansí,* se afirma más categóricamente: "la vida es esto: crueldad, ingratitud, inconciencia, desdén por la fuerza de la debilidad, y así son los hombres y las mujeres, y así somos todos —sí; todo es violencia, todo es crueldad en la vida. ¿Y qué hacer? No se puede abstenerse de vivir, no se puede parar, hay que seguir marchando hasta el final". Y estas páginas fueron escritas antes de Auschwitz, de Argelia, de Vietnam..., cuando el hombre se ilusionaba con la idea del progreso y se sentía moralmente superior al primitivo y al "bárbaro". A nadie puede sorprender que, partiendo de estos supuestos, su pesimismo se extendiera por igual a la mujer, al amor, a la religión, a la patria, a la poesía... Nada resultaba inmune a la corrosiva crítica barojiana.

Quizá por eso se refugió Baroja en el arte de escribir y de escribir novelas, en la creación de mundos imaginarios donde los personajes tal vez luchan por causas imposibles o utópicas, como Silvestre Paradox, aventurero modesto, que llegó a ser rey en tierras de África, para ver en seguida destruido su paraíso por los cañones de los civilizadores; o como los anarquistas de *Aurora roja,* concienzudamente apaleados al final de la novela por querer seguir siendo anarquistas después de que sus ideas han triunfado. Personajes así expresan el sentimiento del desengaño, de la frustración irremediable; de ahí el escepticismo. Es inútil hacer nada, salvo escribir. Por eso el Baroja rebelde acepta, a pesar de todo, un cierto conformismo, el de la butaca confortable y las zapatillas de orillo. Su rebeldía se diluye y se convierte en literatura; por un proceso de catarsis bien conocido se excusa de toda acción con vivirla vicariamente en los personajes. Arrellanado en la butaca compensa su quietud, agitándolos de un lado para otro, teniéndolos en movimiento continuo, unas veces en movimiento espiritual y otras puramente material. Sería absurdo, dadas sus ideas y actitudes, pedir que Baroja se hubiera portado como escritor "político". No lo era ni quería serlo. Desconfiaba de los unos como de los otros, y de los otros como de los unos. Es un escritor sin consignas, arbitrario, injusto (a veces con la suma injusticia de negarse a discriminar, a ver las diferencias), desmemoriado, pero siempre leal a sí mismo, y negándose a escribir lo que no creía.

Leyendo las novelas de Baroja, el lector se siente compelido a ver el personaje como el autor quería que lo viera. No suele haber en ellos la ambigüedad característica de las criaturas pululantes por la novelística contemporánea y se puede comprender fácilmente por qué ocurre así: el exceso de adjetivos y el uso de sustantivos con función adjetivadora prueba que el novelista quiso imponernos su visión del personaje. La selección de palabras, por su violencia y su aspereza, hace sentir, queramos o no, que el personaje es conforme Baroja lo ha pensado. Entre las figuras de su ficción me parecen más interesantes las que de algún modo escapan a ese esquematismo, como el abúlico fantaseador de que es prototipo Fernando Ossorio, en *Camino de perfección*.

Al redactar la nota preliminar a *Los amores tardíos* declaró Baroja que le gustaba un tipo de novela "que no tiene principio ni fin". Esto le acerca al lector de hoy, creyente en mundos novelescos menos cerrados que los aceptables a nuestros abuelos. Es decir, aceptamos que ese mundo es cerrado en cuanto obra de imaginación, pero no damos por sentado que con la última página de la novela los personajes dejan de vivir su vida imaginaria. La novela no ha de ofrecer necesariamente "un" desenlace, porque nada concluye definitivamente. El final de una novela puede ser, y de hecho en Baroja lo ha sido, el comienzo de otra.

Volviendo al ejemplo más conocido, el de *Camino de perfección*, se recordará que en ella se describen los avatares de un hombre débil que cede a incitaciones perturbadoras y a sentimientos contradictorios. Este hombre, a punto de ser destruido por la ciudad, se tonifica cuando emprende su peregrinación por las anchuras de Castilla, y más adelante parece encontrar en el campo un poco de amor y con él un poco de calma y de paz. Pero en realidad no ha encontrado el amor, sino el matrimonio, o sea una de las formas de abdicación de la libertad. Desea la paz hogareña, y para mantenerla, cerrando los ojos a la realidad, constituye una familia dominada por mujeres que no piensan como él, sino como los rectores espirituales que a través de ellas formarán un futuro que será continuación y duplicación de lo pasado. Al concluir la novela, el pobre Ossorio está resignado al fracaso y para consolarse forja una nueva ilusión: traspasa al hijo la misión de cambiar el mundo; ese hijo suyo —piensa— será libre; y, mientras él fantasea, la abuela y la madre cosen en la camiseta del niño los fetiches de la devoción tradicional.

La novela que no escribió, la escribe cotidianamente, en otro contexto (el de la realidad), un novelista colectivo. Desde 1902, año en que publicó *Camino de perfección*, hasta ahora, hemos visto repetida en la vida, al menos dos veces, la frustración de Ossorio. Y los novelistas jóvenes, con distintas formas, en España, en Hispanoamérica, en países de otras lenguas, vuelven a contar esa historia. Es natural que lo hagan, pues este cuento, como otros que narró Baroja, parece ser el cuento de nunca acabar.

REALIDAD DEL ESPERPENTO

I

El esperpento tiene, por supuesto, la irreal realidad del arte. Pero además, y hablando de la realidad en términos más amplios, en lugar de negarla, la revela. Contrariamente a lo que suele pensarse, el esperpento, valleinclanesco o no, lejos de ser una técnica desrealizadora, fue concebido para aproximarse a la realidad de manera más lúcida y desengañada que la habitual en el llamado realismo, intentando descubrir en ella lo que no sé si atreverme a llamar su esencia. Si vacilo en emplear este término es porque no estoy seguro de que pueda hablarse de tal cosa como "la esencia" de la realidad, pues por naturaleza la realidad a que estoy refiriéndome —la que interesa al novelista— es una realidad temporalizada y espacializada, una realidad histórica, sin cesar cambiante.

Quizá, en el caso concreto de Valle-Inclán, la toma de conciencia de esa historicidad, operante en él desde la segunda década del siglo, determinó el cambio de estilo hacia lo esperpéntico. (Y no ignoro que elementos y tendencias en esa dirección se encuentran con relativa frecuencia en la primera parte de su obra, pero lo que entonces aparece ocasional y disperso se organizará luego en forma continuada y coherente.) La realidad de *Luces de Bohemia* es la realidad del mundo en que el autor vive y no la realidad del mundo con que el autor sueña, como lo fuera, por ejemplo, la de *La guerra carlista*. Bradomín, Montenegro o Cara de Plata pertenecen a un mundo donde el heroísmo podía parecer posible (o al menos podía parecérselo a ellos), a un mundo con ecos y resonancias feudales, reconstituido libremente en la imaginación, porque el escritor nunca lo había conocido; Max Estrella y el capitán Chuletas de Sargento son "héroes" irrisorios porque viven, como su inventor o cronista, en una sociedad donde el individuo —y por lo tanto la acción heroica— ha dejado de contar.

Tan pronto como nos acercamos al esperpento advertimos que su más visible característica es la mecanización del personaje; refiriéndose a los más engolados como a los más ruines, los indicios verbales se multiplican y diversifican, pero apuntan siempre a expresar lo mismo: los habitantes de este mundo novelesco son llamados fantoches, marionetas, títeres, autómatas, peleles, muñecos..., y como tales actúan. Se mueven por resorte o por cuerda, sin espontaneidad; los gestos, garabatos; las actitudes, determinadas por el tirón de un Maese Pedro que sabe bien su oficio y beneficio. Esta mecanización no se produce por capricho; es resultado natural de la cosificación a que el hombre se ve reducido en la sociedad moderna. En esta sociedad el hombre significa cada vez menos y cada vez es tratado más cínicamente como pieza de un conjunto al que debe subordinarse. La concepción misma del héroe exige una posibilidad de movimientos autónomos que la sociedad contemporánea apenas consiente.

Que la progresiva anulación de la libertad sea consecuencia, como piensan los marxistas y muchos que no lo son, del cambio de la economía liberal al capitalismo imperialista, es problema que no puedo plantear en el reducido marco de esta exposición; sólo diré que en esta genuina deshumanización (de la que por dos razones: una moral, de protesta, y otra artística —espontáneas ambas—, de fidelidad a la realidad profunda, se derivó la mal llamada "deshumanización del arte") se encuentra la clave de la estética valleinclanesca. Por eso no debe sorprendernos que el cambio de perspectiva vaya acompañado —o precedido— en Valle de una orientación hacia el radicalismo político y social que le incitó a adoptar actitudes extremas, desde su entusiasta apoyo a la revolución *social* (subrayo "social") mejicana ("y lo primero / ahorcar al encomendero") a su adhesión al Congreso de Defensa de la Cultura y a los Amigos de la Unión Soviética, sin olvidar su simpatía por ciertas realizaciones del fascismo italiano. Tales actitudes me parecen consecuencia de su convicción de que lo más necesario y urgente era combatir las proliferantes inclinaciones materialistas de una sociedad regida por la idea del beneficio.

La nostalgia arcaizante —y embellecedora— por formas de vida caducadas, según se revela en las obras de la primera época, se da la mano con la esperanza en otras formas futuras de vida que tendrían de común con las primeras una armonía en las relaciones humanas vigentes en la época de Valle —y en la nuestra—: las relaciones entre los hombres volverán a humanizarse cuando no las endurezca la idea del beneficio económico que los cosifica, al utilizarlos como medios adecuados para servir el supremo fin que desde Guizot ("¡enriqueceos!") a McMillan ("nunca lo habéis pasado mejor") ha sido tantas veces proclamado por políticos realistas.

El hombre cosificado se equipara a cualquier otro objeto del mundo en que vive y no ha de sorprendernos que para subrayar esa semejanza Valle-Inclán acuda a un recurso paralelo al de la automatización del personaje, describiendo el objeto —piano, cochecito,...— como si fuera un ser dotado de vida, animado. Cuando (en *La corte de los milagros*) Adolfito Bonifaz y sus amigos tiran a un guardia por el balcón y lo matan, el acto les parece intrascendente, porque en su relación con ellos el guardia no es un ser humano, sino el equivalente de un objeto, utilizable según mejor convenga para entretener al concurso. Y claro está que esa acción no solamente cosifica a la víctima; deshumaniza también a los señoritos juerguistas, cuya condición inhumana se pone así de relieve. Nadie puede conservar su humanidad si niega la de otros; Tirano Banderas, aislado en su torre de crueldad y silencio, mecaniza y animaliza cuanto le rodea, pero le es imposible conservarse humano y participa de la condición animalesca y mecanizada que impone a sus víctimas. La deshumanización de las relaciones entre los hombres no alcanza únicamente a las víctimas; todos los miembros de la relación adolecerán, por contagio, de idéntico mal.

A don Quintín Pereda, el gachupín empeñista (en *Tirano Banderas)*, sus caudales no le eximirán del automatismo, como el general Narváez no se librará de la animalización pese a su poder. Pues por medio del esperpento Valle-Inclán está presentando la visión imaginativa de una crisis ontológica, ligada de manera directa a una transformación social, como resultado de la cual desaparece la libertad individual y aun el individuo mismo. No puede haber conductas auténticas donde la libertad se niega, y el espadón Narváez, como el usurero Pereda, se encuentran tan cautivos del mecanismo de que forman parte como el guardia asesinado por Bonifaz y sus compinches o la indita delatada por Pereda; es más, alcanzando un cierto límite de sufrimiento y por la intensidad del sufrimiento mismo, las víctimas de los acontecimientos, las víctimas de sucesos en que no participaron sino pasivamente y por azar, pueden rehumanizarse de nuevo: Zacarías, descubriendo los restos de su chamaco a medio devorar por los cerdos, se mineraliza primero en la calma del dolor inmovilizante, y por la intensidad de este dolor callado trasciende la relación social que le condicionaba y recupera, sin saberlo y sin advertirlo, una libertad que le devuelve su hombría.

Si el esperpento es instrumento expresivo de este tipo de intuiciones, la negación del llamado realismo como técnica novelesca constituirá un modo oblicuo, indirecto, de restaurar la realidad. Destruye la confianza en nuestras ideas, valores y mitos, forzándonos a aceptar una ambigüedad que nos hará sentir inseguros. En las *Sonatas,* Valle presentaba la mentira vestida, la ficción como imaginación, el romance en su idealización natural; desde *Luces de Bohemia* se empeña en ofrecer la verdad desnuda y así muestra que la realidad del realista es inaceptable y la caricatura esperpéntica una aproximación menos embustera, porque no pretende ser el engaño a los ojos que aquélla es. La ruptura con el realismo se había registrado ya en la dirección idealizante de la primera etapa, no menos deformante y más improbable que la tendencia ulterior; lo que ocurrió es que en ésta el lector reconocía con más facilidad los fragmentos del mundo cotidiano. La distorsión deformante, lejos de ocultar, subrayaba la pulverización del universo tradicional. Gottfried Benn, refiriéndose al mundo moderno, había advertido: "ya no hay realidad; cuánto más su caricatura" [1].

Esa caricatura será punto de partida para la reconstrucción de una realidad que, eso sí, jamás volverá a parecer tan sólida y firme como en el pasado. Después del esperpento, quedará siempre la sospecha de que la realidad no es tan real como la pensaron nuestros abuelos. La acción demoledora de estas obras es una terapéutica adecuada para revelar lo que hay debajo del maquillaje, es decir, para encontrar la realidad profunda, adulterada y sepultada bajo la engañosa superestructura. Esa intención reveladora, necesariamente había de infligir al material utilizado un tratamiento degradante; no se puede destruir el mito sin disminuir la estatura de quien lo encarna, sin rebajarlo de nivel, es decir, sin de-gradarlo.

¡Y de qué forma! La técnica desmitificadora opera en las ficciones esperpénticas con deslumbrante rapidez y eficacia; dos líneas bastan: "La Católica Majestad [Isabel II] sonreía conqueridora y frescachona, con la sonrisa de la comadre que vende buñuelos en la Virgen de la Paloma". Condensa en una frase breve términos antagónicos, con una cierta calidad de oxímoron, subrayando así, claro está, la multiplicidad del ser y sus naturales contradicciones, y al mismo tiempo haciendo imposi-

---

[1] Citado por Georg Lukacs, *Teoría de la novela,* Editorial Siglo XX, Buenos Aires, pág. 20.

ble la pervivencia del mito "Sacra, Católica, Real Majestad".
Todavía más concisamente se presenta al ridículo marido: "El
rey don Francisco hacía chifles de faldero al flanco opulento de
la Reina". El Monarca, siquiera consorte, reducido a la condición de chucho olisqueante.

Ahora se notará con cuánta exactitud insistía Valle en presentar a Goya como inventor del esperpento. Y ni siquiera hará
falta recordar las distorsiones grotescas de los *Caprichos,* pues
en "La familia de Carlos IV" están ya sugeridos, declarados
más bien, los contrastes entre ser y parecer que Valle prolon-
garía con la pluma, demorándose a veces, como si quisiera prolongar durante unos instantes la expectación del lector. Veamos
un ejemplo ya citado, en otro contexto, por Guillermo Díaz-
Plaja [2]: "El Excelentísimo Señor Don Jerónimo Fernando Bal-
tasar de Cisneros y Carvajal, Maldonado y Pacheco, Grande de
España, Marqués de Torre Mellada, Conde de Cetina y Villar
del Monte, Maestrante de Sevilla, Caballero del Hábito de Al-
cántara, Gran Cruz de la Ínclita Orden de Carlos III... Era un
vejete rubiales, pintado y perfumado, con malicias y melindres
de monja boba". La acumulación de grandezas, cuanto mayor,
hará más decisiva la desmitificación; derribando desde mayor
altura al grande hombre, al ilustre aristócrata, al caballero de
tanta caballería, la caída lo quebrará irremediablemente.

La "verdad" se alcanza así de golpe, y también de golpe,
con una metáfora o un simple adjetivo: "calavera", "momia",
"rata fisgona", se revela la imagen del Tirano en la novela de
que es protagonista. ¿Verdad absoluta? No sé lo que es eso,
y me pregunto si algún lector podrá decirnos si tal cosa existe.
Pues la verdad no es que Isabel sea una comadre, Francisco
un faldero y el Marqués un maricuela, sino que siendo la Reina
una cachonda, el Rey consorte un impotente y el aristócrata un
cornudo afeminado, son, a la vez, lo otro; son lo uno y lo otro,
y no la simplificación y esquematización que exige el mito —o

[2]   *Las estéticas de Valle-Inclán,* pág. 85.

el contramito, tan conformista e indiscriminante como aquél. La "verdad" esperpéntica es equívoca en sustancia, como le ocurre a la vida, y de la misma manera puede estar constituida por una contradicción entre el ser y la representación. Si el esperpento es subversivo, es porque lo que en él se degrada es el mito mismo, es decir, la idea, y con ella el valor —los valores— de los cuales depende la continuidad del mundo burgués, de nuestro mundo.

II

La concepción del personaje como ser múltiple es central para la creación del esperpento. La voluntad desmitificadora impone un acto previo: no arrancar la careta, cosa imposible cuando está adherida a la piel, hecha piel ya, pero sí mostrar que el rostro es máscara, y que quien la lleva desempeña un papel para el cual unas veces está preparado y otras no. Un momento después el personaje puede presentarse con distinta careta, o sin ella, pero haciéndonos dudar de si el rostro "definitivo", más engañoso por su apariencia desnuda, no será igualmente superpuesto y falso.

Las observaciones anteriores sobre reducción del personaje a la condición de autómata vienen corroboradas desde el título de las obras (*Farsa y licencia de la reina castiza, Retablo de la avaricia, la lujuria y la muerte*), o desde su enmarcamiento genérico: autos para siluetas, melodramas para marionetas. En el umbral de los textos se nos previene respecto a la significación de la obra cuya lectura emprendemos. Las gentes se presentan representando y conscientes de la representación. Los ejemplos son tantos y han sido tantas veces citados que considero superfluo mencionarlos; me limitaré a recordar las escenas del mitin "revolucionario" en *Tirano Banderas* o las representadas en *La corte de los milagros* en el estrado de la evanescente Marquesa. El presidente del Consejo de ministros,

González Bravo, aparecerá como un actor falto de facultades; Gonzalón Torre-Mellada perseguirá y golpeará al mayordomo de la casa (para sacarle dinero) como quien a desgana desempeña un papel tedioso en una escena cien veces representada.

La conciencia de vivir la ficción como un papel no solamente ficticio sino archisabido, no impide que el personaje se identifique con él y lo viva mientras lo representa. En *Los cuernos de don Friolera* esa identificación se logra en zig-zag, con vacilaciones y oscilaciones en el ánimo del protagonista, que por su gusto se resignaría fácilmente al engaño de que es víctima, pero finalmente se ve forzado a aceptar el papel de defensor o restaurador de su honra, sin sentir ningún deseo de representarlo. Al entender esta aceptación como algo impuesto desde fuera para corresponder a la idea —a la imagen— forjada por la sociedad, no tarda el lector o espectador en inferir del caso particular la regla general: el arquetipo de marido "calderoniano", médico de su honra, es inicialmente una ficción, convertida en realidad por la presión de las ideas sobre el honor inspiradas por la costumbre y por la tradición literaria.

Sin salir de la misma obra se advertirá que la correlación y encadenamiento persona-máscara-personaje no siempre es consecuencia de una violencia o de un condicionamiento social, sino de la posibilidad de la transfiguración del ser prosaico que se es, en el ser ideal que se sueña ser. Cuando el individuo se percata de esa posibilidad, el prestigio del papel situado de pronto a su alcance le seduce y, unido a estímulos más terrenales, le incita a comportarse de acuerdo con las pautas del arquetipo. El halo que rodea al papel, estimula el deseo de representarlo, y así acontece en los casos de doña Loreta y Pachequín, cuya atracción mutua se refuerza al imaginarse candidatos a la gloria o, al menos, convertidos en figuras dramáticas de reconocido prestigio. La representación se convierte en vida cuando los fantoches descubren que su papel les hace participar de algún modo en el prestigio de los arquetipos en cuya estela se inscriben, y el efecto es cómico por el contraste entre el modo de verse y el de ser, entre apariencia y ambición; dadas las circunstancias, al espectador ha de antojársele grotesco.

Al nivel de la farsa todo dramatismo parece imposible, pero no es así. Friolera no mata a la esposa adúltera, sino a la hija inocente. El trágico azar no afectará a la leyenda, invulnerable a cualquier alteración: el romance popular, epílogo del esperpento, es estructuralmente decisivo para la comprensión de la obra en conjunto; en él se recordarán los hechos como debieron acontecer y no como acontecieron —por accidente. El mito se mantiene frente a la realidad y "los papeles ilustrados" cumplen —¡y con cuánta eficacia!— la función reservada en otro tiempo a los aedas.

Valle-Inclán pudiera haber dicho lo que Ibsen hace decir a Juliano el apóstata en *Emperador y galileo:* "La antigua belleza ya no es hermosa y la nueva verdad ya no es verdad". El esperpento transforma la sonrisa y el gesto de dolor en mueca, y la pregunta sobre la verdad queda a medias incontestada, porque si lo negativo —la mentira— resalta, lo positivo no hay manera de aprehenderlo.

A veces la bufonería se detiene y en la súbita inmovilización del instante ocasionada por la intrusión de algo inesperado y trágico (así, el asesinato, por aplicación de la ley de fugas, del obrero revolucionario, en *Luces de Bohemia),* la atmósfera cambia, y el lector, como los personajes, se encuentra de pronto en un espacio verdaderamente dramático. Los fantoches recobran la condición humana al tomar conciencia de que el absurdo deambular por las nocturnas calles de la ciudad es su modo natural, arquetípico también, de vivir —o representar— la aventura a que están destinados los poetas. En el nivel simbólico, *Luces de Bohemia* puede leerse como la narración de un descenso a los infiernos, que aun en la degradación esperpéntica sigue conservando angustiosa grandeza.

En cierto sentido es una excepción de la regla; la degradación, consustancial al género, no opera cuando las desventuras de Max Estrella son vistas en un estrato más hondo; al contrario. El mito del poeta descendiendo a las sombras para buscar la verdad resulta más patético cuando, como aquí ocurre, no hay retorno, ni ulterior ascenso. La noche triste del poeta ciego, conforme las horas pasan y el fin se aproxima, va imponiendo su desolado carácter unitario a la diversidad tragicómica o simplemente grotesca de los episodios sucesivos. Si cada uno de éstos (o la mayoría de ellos) añade un toque, una confirmación, al proceso degradante, su acumulación y fusión con los dos o tres momentos de dramatismo puro, sin mezcla de bufonería, produce un resultado diferente del previsible: el mito no es degradado, sino rehumanizado y reconstruido en la parábola.

Por eso hablo de excepción: lo esperpéntico desmitificador no desmitificó, sino rehabilitó por vías inesperadas y sórdidas la figura del desesperado deambulante en la noche que es Máximo Estrella. Que los círculos infernales sean tabernarios más que dantescos es natural. ¿Cómo podrían ser de otra suerte en el escenario madrileño? Enriqueta la Pisa-Bien es la única Francesca verosímil en la taberna de Pica Lagartos, y las alusiones a los políticos de aquel momento son equivalentes en su figuración estética a las de Dante en sus condenaciones. El destino del vate (excusadme que escriba ahora como un mantenedor de juegos florales) y el del hombre a secas no es por eso menos trágico; aún parece serlo más, pues la ruindad del medio y de sus habitantes quita grandeza a la inmersión en los abismos: Dante tuvo por compañero a Virgilio; a Max le acompaña el misérrimo don Latino (obsérvese la transparente alusión del nombre), quien, lejos de guiarle, le desorienta, engaña y abusa de su debilidad; personaje "realista", según suele decirse por eufemismo de innoble.

Esta inesperada revivificación y actualización del mito dice que el supuesto sistematismo deformante ni es tan sistemático ni produce siempre iguales resultados. La desmitificación que corroe las creencias y los valores sobre los cuales se sustenta la sociedad burguesa no aniquila, aunque los transforme, mitos de otro tipo, y sobre todo el de la videncia y profetismo del poeta. No será "torre de Dios", como Rubén dijera, pero culminará siendo vidente ciego, el elegido de los dioses, siquiera esa elección pueda considerarse, desde el punto de vista de la seguridad y la calma, una condena: para hacerlo diferente de los demás hombres por la intensidad de la revelación, los dioses empezarán por imponerle la intensidad del sufrimiento. Quizá no estará de más recordar que el pobre Alejandro Sawa, materia prima utilizada libremente por Valle para la creación de Max Estrella, dejó a su muerte un libro, publicado póstumamente, cuyo título es —nada menos— *Iluminaciones en la sombra.*

No me queda tiempo para explorar este punto; me limitaré a apuntar algunas observaciones complementarias de lo ya dicho sobre esperpentización de la realidad. La realidad no es grotesca; es. Si nos parece grotesca, es que nuestra mirada la califica; una inversión de actitudes o de posiciones cambiaría el signo de lo contemplado. Nuestra mirada crea el esperpento, porque ella es el espejo deformante; no en el callejón del Gato, sino en los ojos de don Ramón, estaban los espejos cóncavos y convexos en donde se reflejan los héroes clásicos. Basta un cambio de luz, un entornar los párpados, para impedir la deformación. Si una lágrima se interpone entre el espejo y el objeto, los perfiles del suceso pasan de burlescos a dramáticos.

La diversidad de perspectivas claramente expresada en *Los cuernos de don Friolera* por el enmarcamiento de la acción entre el bululú que la precede y el romance que la sigue —anticipación y comentario, respectivamente— destruye la imagen calderoniana del honor y al mismo tiempo la imagen romántica del amor. Valle-Inclán, como don Estrafalario, contempla los acontecimientos desde "la otra ribera" y esa distancia le hace ver como muñecos a los personajes, como insignificantes sus emociones y como cómicas las pasiones reveladas en su comportamiento.

La distancia desde la cual se mira es factor decisivo en la esperpentización de la realidad. La lejanía, al empequeñecer y deshumanizar al individuo, consiente la contemplación irónica, la no participación en lo que contemplado desde arriba, y lejos, parecen movimientos ridículos, agitación sin sentido. A tanta distancia no se puede participar porque no se puede distinguir: por la gracia de la palabra creadora Ana de Ozores y Ana Karenina parecen estar a nuestro lado y podemos sentirlas como semejantes; doña Loreta y Lupita la romántica hacen reir con sus pretensiones de títeres aspirantes a conducirse como personas.

El espectador o lector ve las cosas desde el punto y con la perspectiva del autor, con la escogida para él por el autor. Pero ve también —o las tiene en cuenta— cosas que éste soslayó. Advierte, por ejemplo, que estar dentro del acontecimiento condiciona para la aceptación, mientras verlo desde fuera incita a la crítica, a la deformación y la caricatura. El pobre cojo a quien llamaban en Córdoba "engañabardozas", por el modo como adelantaba el pie hacia un lugar para acabar posándolo en otro, de fijo se imaginaba muy de otra manera a como le veían quienes le pusieron el apodo; figura lamentable o figura risible, según la distancia espiritual a que se situara el espectador.

La aceptación, por quien está dentro, de la visión de quien está fuera, supone la esperpentización voluntaria de la persona. El bufón (admirablemente representado en las páginas de Valle por tipos como Nachito Veguillas y el Doctor Polaco) acepta vivir según la imagen chabacana del espejo deformante. Una y otra vez los ejemplos ocurren en las obras de este escritor (y no sólo en ellas: recuérdese al unamuniano don Fulgencio de *Amor y pedagogía);* y tal frecuencia no puede sorprendernos porque, como todos hemos admitido, la vida española es esperpéntica. Los mozos de Mondragón que en 1956 se comieron un burro en homenaje a Platero o el psiquiatra tuerto que en Nueva York corta el resuello a sus distinguidas clientes cuando súbitamen-

te, y para subrayar su perplejidad ante un caso difícil, se golpea
suavemente con el monóculo en el ojo de cristal, que sustituye
al que perdiera en la guerra civil, no hacen sino mostrar una
vez más la vitalidad y la realidad del esperpento.

REFLEXIONES EN TORNO A MIRÓ

I

Gabriel Miró no está de moda. Quizá no lo estuvo nunca; pero yo me siento en deuda con él. Debo a sus libros emociones finas y persistentes, la revelación de un mundo delicado y al mismo tiempo sólido, terroso, con olor a campo y a flor. Fue primero la sensación de entrar en contacto con un orbe lleno de gracia, estremecido y vibrante; después fue más todavía, la clave de una realidad en que de pronto me encontré inmerso: la realidad de la buena tierra alicantina, renaciente en las sabrosas páginas del gran escritor.

Sin esa revelación, acaso pudiera situarme frente a las obras de Gabriel Miró con una objetividad de que ahora me confieso incapaz, pues al abordarlas parecen alzarse de cada línea bandadas de recuerdos, memorias de vida y esperanza. Redactaré, pues, una impresión parcial y subjetiva, no un ensayo crítico, en torno a dos o tres aspectos de la personalidad mironiana.

Quizá la primera cualidad que me atrae en Miró es su capacidad para el asombro. Las gentes se niegan cada día más a dejarse asombrar: televisión, bombas atómicas y otras invenciones están proclamando estruendosamente la facilidad con que el milagro puede producirse, y quien acepta como fenómenos corrientes, casi diría, como homenajes merecidos, descubrimientos apenas creíbles, se imaginaría deshonrado si dejara traslucir sorpresa por nada. Frente al hombre cotidiano y seguro de sí, Miró es el hombre maravillado, descubridor incesante de la multiforme hermosura de la realidad.

Propone la contemplación de un mundo sublimado por el sentimiento de la belleza y por la presencia de hombres más atractivos y profundos de lo que suelen serlo. Hay una sobrestimación de mundo y hombre originada por esa capacidad de asombro que le permite hallar en cuanto le rodea matices reveladores, facetas expresivas y atractivas. Por el sentimiento de maravilla el mundo queda alejado, pero íntimo; cercano, pero transustanciado. Le aproxima a los seres, aun haciéndoselos ver en su distante milagro, y uno a uno los goza y los ofrece, asimilados y cuajados en sus textos sin perder vitalidad, sin destruirlos por el deseo de conseguir síntesis ineludiblemente amputadoras. De tal suerte le atrae y maravilla cada ser y cada objeto, que su obra no es tanto el conjunto vivo de las piezas como las piezas vivas del conjunto. Amor a todas las cosas porque todas le parecieron dignas de ser contempladas, y en la contemplación se engendró amor: espíritu en cierto sentido franciscano, revelador de una tendencia a refugiarse, no en la ilusión, pero sí en la potenciación y cántico de lo existente.

Movidos en gran parte por la sugestión del notable estudio orteguiano, insistieron algunos comentaristas en el elogio, merecido, de los primores azorinescos, en la ciertamente admirable expresión de la vulgar e inmensa realidad llevada a cabo por el autor de *Castilla*. En cambio, son bastantes los que aún no supieron ver la penetrante poesía puesta por Gabriel Miró en la contemplación de las pequeñas cosas. En ambos escritores la atención a lo menudo es significante y está motivada por la franca naturalidad con que encaran los sucesos, sin desorbitarlos, buscando el sentido de la vida en donde se encuentra: no en los trémolos de los grandes divos y en las escenas de aparato, sino en el diario esfuerzo del hombre común, en el corriente laborar y sufrir y soñar de quienes son como el trigo con que se amasan los pueblos, la savia y sangre del mundo, lentamente, constantemente sucediéndose en la creación de la vida.

Si advertimos en Miró una sobrecargada tensión que distingue, pero no se detiene a valorar la emoción provocada por hechos harto desemejantes, la causa estriba, creo yo, en su don de amor, incluyente e imaginativo, capaz de resonar con pareja vibración —siquiera con varia intensidad— lo mismo ante el padecer de cualquier bestezuela sacrificada, que contemplando el sufrimiento humano. Pensando en esto aludía, hace un instante, a su franciscanismo.

Si puede soñar —si sabe soñar— el hombre tiene ya conquistada parte de la libertad. El imaginativo arranca de su mundo para transformar el nuestro. Miró, fecundado por la alegría de las cosas sencillas, crea a su vez un clima de espirituales precisiones; evoca con ternura los fracasos porque en el desamparado e inerme descubre con nitidez sentimientos que no es fácil captar en las horas jubilosas. Para Miró el fracaso es una fatalidad, un destino que se cumple; la rebeldía se le antoja incongruente. Ternura mansa, dolor recatado y, en lo más triste, la serenidad de la costumbre. (Reléase "Huerto de cruces", henchida página en donde lo macabro se hace trivial.)

Nuestro escritor tuvo un ideal —sí; escribámoslo sin rodeos: era un idealista—. Ideal de bondad y que en bondad se resolvía. Su lección, reducida a la más escueta conclusión, puede enunciarse así: el hombre es bueno y vale la pena confiar en él. Sin excesivo optimismo, dando por descontados desengaños y desilusiones, sin rousseaunismo. La ley de la esperanza, de la confianza en el hombre, establecida como norma general, pero recordando las posibles, las previsibles excepciones. Sucesos y gentes chocan con ese ideal —nunca pregonado y por eso más íntimo y sostenido—; el choque le conmueve, sin sorpresa, porque entra en el margen de negaciones admitidas, esperadas, en el porcentaje calculado de obstáculos a remover suavemente, a fuerza de emplear una bondad que el uso acrece, sin violentar nada, sin quejarse con demasiada fuerza.

De los hombres y los acontecimientos a las ideas, de la vida a la idea de la vida, de la maravilla a la reflexión del hombre asombrado. Pero no al éxtasis sino a una clarividente representación del universo, en su realidad turbia, en su impureza generadora de contradictorias reacciones. Su espíritu sencillo y claro, sin prejuicios ni veladuras, veía el mundo según era, descubriendo tras él una trama de posibilidades favorables, de inclinaciones benévolas, susceptibles de mejorarlo y dignificarlo. Ideas sencillas, también, y elevadas, disparándose en pos de lo esencial. Y tal vez por esa sencillez se diferencia de la facilidad llamada "levantina", blasquista o sorollana, conseguida a costa de insistir preferentemente en la envoltura de las cosas.

Hace años, tal vez diez o doce, me entretuve en esbozar un paralelo entre el hombre mediterráneo y el de la meseta. Inocuo y estéril pasatiempo. Pues el antagonismo, si existe, no es muy hondo. Rehúyo, pues, las fáciles antítesis y prefiero subrayar en Miró su carácter de hombre en quien las ilusiones perdidas no dejaban sedimento de amargura. El fracaso, según puede verse en las jornadas de Sigüenza tituladas "Una tarde" y "Una noche", abría espacio a evasiones que, al desvanecerse, cedían el paso a otras nuevas, en ininterrumpida marea de esperanzas.

En Miró no advierto la presencia del impulso demoníaco que con más o menos intensidad se da de alta en casi todos los artistas. Linda con lo angélico, con lo inefable, y apenas deja resquicio para las acometidas diabólicas. El luminoso foco de su bondad ilumina siempre la misma zona. Su canción es bella, pero se reduce a unos pocos temas fundamentales, enunciados con extraordinaria riqueza de modulación, con varia y singular tonalidad, dentro de un ritmo que no suele cambiar: los semitonos, claroscuros y delicadezas de detalle, conforme fueron trabados por el autor de *Años y leguas,* presentan la realidad con nuevos matices, en su complejo y proteico destello.

Delicadezas de artista, y aun diría que de artista puro, si en torno al calificativo no se húbiera desencadenado la ola de incomprensión por todos recordada. Pureza se tradujo por deshumanización, cuando es signo de lo contrario. Si en los primeros treinta años de esta centuria existe en España un escritor de veras humano, con las cualidades y atributos espirituales inherentes a la condición de hombre, ese escritor es Gabriel Miró.

Para un análisis de su obra sería preciso estudiar demoradamente la voluptuosidad y la delicadeza del escritor, la pasión de ánimo y el amor a la naturaleza del hombre, la mezcla de realismo e idealismo; sería preciso investigar cómo la ausencia de misterio no quiere decir prosaísmo e incluso contribuye a forjar un aura especial en torno a las cosas. Y pues el estilo hace al hombre, convendría escudriñar en la prosa mironiana, en la fertilidad de su palabra, en la vitalidad de sus giros idiomáticos y sintácticos.

Ahora, mientras escribo, pensando en Miró me asedia el incitante recuerdo de los campos alicantinos. Pronto estarán los almendros en flor y desde lo alto pareccrá la huerta, hacia Vistahermosa y San Juan, campo nevado que relumbra bajo la acerada lanza del sol mediterráneo. Y en mi corazón, con la nostalgia de esa buena tierra, donde es tan dulce vivir, habita la imagen del dulce Sigüenza, que hizo suyo, sin confesarlo, el precepto de un viejo crítico francés: no se debe escribir sino de lo que se ama.

II

Pertenece Gabriel Miró a la generación de nuestros padres (tenía dos años menos que el mío). Andaría, si viviera, entre los ochenta y los noventa años.

Consentidme imaginar, por un momento, lo que en su vida y para su obra habrían supuesto otros veinte años de creación. Años en que no cabe pensar sin agudísimo dolor por lo perdido, por los diez, por los quince libros posibles y ya irrecuperables. Miró es uno de nuestros auténticos malogrados.

Más páginas bíblicas, estampas viejas, andanzas de Sigüenza... Probablemente, pero soñemos en la evolución posible, un cambio de voz semejante al operado en la obra del francés Jean Giono, con quien algunas veces se le compara; las mudanzas de los tiempos no hubieran dejado de influir en su extremada sensibilidad. Estéril devaneo de la imaginación, quimera inútil, pero a veces irresistible. Volvamos a la realidad de lo existente y concluso, pues su belleza aporta a la literatura española una nota suficiente de delicadeza original, de fervor por la frase llevada a plenitud. Fijémonos en dos de las más conocidas novelas mironianas: *Nuestro Padre San Daniel* y *El Obispo leproso*.

Digo dos novelas, cuando tal vez fuera más exacto considerarlas como primera y segunda parte de un relato único; la acción varía algo, pero justamente el ser parcial la variación inclina a leer ambos volúmenes como si fueran un solo libro. Cualquiera de los títulos serviría para designar el conjunto.

Los personajes son los mismos, aunque la novela, de progresión relativamente rápida —siquiera de tempo, por lo general, lento—, reflejo de la vida, haga morir a algunos y los sustituya por otros que dan a la peripecia nuevo sesgo. La mayoría de los presentados en *Nuestro padre San Daniel* reaparecen en *El Obispo leproso,* y no para iniciar asuntos nuevos, sino para continuar los anteriormente tramitados. Esta continuidad de la acción aconseja estudiar las dos obras como una misma novela.

Orihuela, la Oleza del relato, no es simplemente el escenario en donde se desarrolla la acción; poco a poco la ciudad desplaza a los personajes y se convierte en el verdadero protagonista. ¿Cuál fue la verdadera intención de Miró? Si juzgamos sin otra referencia que estas quinientas páginas de texto, nuestra respuesta será terminante: reflejar la vida de un pueblo levantino durante un lapso de tiempo más bien largo —unos veinte años—; utilizando los tipos y acontecimientos en que esa vida adquiría significación y carácter. Todos los momentos, todas las estaciones: primavera, estío, Corpus, Semana Santa, la inundación.

Los años de aprendizaje de Gabriel Miró, vividos en Orihuela, están presentes bajo el sólido cañamazo en que se ordena la ficción. La lentitud, la morosidad que Ortega le reprocha, son condiciones técnicas del relato según fue estructurado, si se piensa, como yo creo, que su pretensión, más o menos consciente, más o menos formulada, era mostrar ciertos aspectos de la vida provinciana española en el cercano ayer, y principalmente el estatismo consustancial con la imagen de la ciudad, conforme la veían los personajes más destacados. Los seres de carne y hueso tienen un valor complementario del quieto susurro del ambiente.

Hay en la novela, especialmente en la segunda parte, un personaje misterioso: el prelado invadido por extraño mal que los médicos no aciertan a diagnosticar, dolencia que abre campo a rumores, a malevolencias. Es un misterio, sí, eficaz instrumento que en manos de Miró funciona sin estridencia, sin invadir —salvo en el título— el primer plano; como una sombra gravita sobre la ciudad y sobre el relato, enigma remoto pese a su cercanía, pese a que el enfermo hállase inmediato, audible y visible, no para los curiosos, mas para diversos personajes.

¿Qué es y qué significa esa figura del Obispo enfermo, situada en la distante proximidad de Palacio, dominando Oleza con el silencio y la caridad? Las intervenciones del Obispo tienen carácter de actos de justicia, de actos providenciales. Su presencia representa una instancia a la cual referirse cuando fallan las subalternas, las contaminadas por la pequeñez cotidiana. Sobre los fanáticos y los hombres de corazón duro, contra las sentencias injustas y las condenas excesivas, existe esa instancia superior, ese pastor al que se puede llegar aunque así no lo crean quienes ni saben ni pueden escoger las vías adecuadas.

El Obispo, inaccesible y frío para el P. Bellod y la tertulia de don Cruz, hostil a la rudeza del primero y a las maquina-

ciones del segundo, tiene franca la puerta para don Magín y
Pablo, y está bien dispuesto hacia don Jeromillo. Claras razones: por la caridad se mueve don Magín y a la caridad no le
es difícil penetrar en la cámara del doliente, como tampoco a
la rectitud de intención de Pablo y a la inocencia de don Jeromillo. El misterio tiene así una parte en claro: la conducta del
Obispo es la propia de un alma cristiana. Quedan zonas de pe-
numbra en cuanto a la significación de la enfermedad; tal vez
deba atribuírsele valor de símbolo; acaso el prelado es la víctima propiciatoria, el "elegido para salvar a Oleza".

Oleza, fondo viviente —ruidos, sabores, aromas, trabajos...—,
representación del mundo inerte, de las resistencias contra las
cuales se deshacen los esfuerzos del hombre. Oleza representando la permanencia del tiempo, ancha corriente que no fluye,
vasta tabla de agua inmóvil atravesada por las vidas sin dejar
huella, testimonio de la deleznable calidad fugitiva de lo humano. Y en Oleza, en ese fondo, como personificación del enigma capital de la existencia, una figura familiar y lejana, desde
su palacio y con sólo un gesto puede cambiar el signo de ciertas vidas.

Tras señalar estas presencias constantes y difusas puede em-
pezarse a hablar de otros personajes: don Magín y don Álvaro,
Elvira y Pablo, María-Fulgencia y Alba Longa... Y no porque
estén trazados sin simpatía suficiente (quiero decir simpatía estética, tan necesaria para forjar los tipos atrayentes como los
desagradables), sino porque sus idas y venidas interesan en
cuanto vienen a dar relieve al cuadro, animación y matiz al espectáculo.

La figura de don Álvaro es la más compleja. Su exterior
rígido, austero y seco oculta un alma apasionada, cruel por celos,
henchida de amor y de odio, en la que no es fácil distinguir
dónde acaba un sentimiento y empieza el otro. En *Nuestro
Padre San Daniel* tiene un antagonista desembozado, un enemigo perverso y criminal: Cara-rajada, el antiguo guerrillero,
camarada de luchas. La posición de don Álvaro resulta ambigua

y es Cara-rajada quien le sitúa a la fuerza en ella al convertirle en cómplice de un asesinato. El recuerdo de esa mala acción no oscurecería la conciencia del hidalgo si la presencia del guerrillero asesino no fuera una amenaza constante y oscura. Le teme porque no ve con claridad las razones de su aversión; las supone, sí, pero no está seguro, y la inseguridad acrecienta el miedo.

¡Extraña relación la que une a don Álvaro y Cara-rajada! Las páginas más felices de la novela son las dedicadas a referir el largo duelo entre ellos, y el antagonismo que lo origina. El mísero admira al señor y se le convierte en obsesión; deja de ser un pobre hombre, marcado por la guerra, para alzarse a espectro del pánico. Don Álvaro siente que la preocupación crece en el silencio y para librarse de ella quiere compartirla, comunicarla: "Durante algún tiempo habló y buscó que le hablaran mucho del hijo del Miseria. De esta manera lo objetivaba para todos: lo hacía salir de su pensamiento, dejándolo a la espalda de su voz".

No sé si esta frase ha sido subrayada por algún comentarista; importa destacarla porque revela una asimilación de las teorías freudianas y prueba cómo instintivamente intuye el personaje la posibilidad de desembarazarse de la obsesión alzando válvulas que la mantienen soterrada y reprimida. Procedimiento de psicoanalista, útil para transformar la obsesión en cuidado tangible, que, "objetivado" y reducido a límites racionales, perderá la morbosa fuerza que le hace temible.

El capítulo dedicado a "Cara-rajada" explica, del modo que tales impulsos pueden explicarse, las razones del odio que el miserable siente por don Álvaro. El crimen realizado para afirmarse contra él, para afirmar su poder frente a él, los une y los separa en la cobardía, en la aversión mutua y en algo parecido al remordimiento. El crimen los vincula con lazos inquebrantables, lazos de un rencor afianzado según el tiempo va borrando la huella de otros errores, fracasos y contrariedades.

En *El Obispo leproso* el antagonista de don Álvaro es de especie harto diversa. Se trata de su propio hijo: Pablo. Nada de combate público, a la vista de todos, sino secreto y diario. El padre es orgulloso y complicado. Ama a su mujer y no quiere confesarse cómo, no quiere reconocer dentro de sí al amante posible, persigue al "otro", al ardoroso, tierno y sensual, que no llega a nacer en su alma, al hombre capaz de entregarse al amor y a la belleza: "buscaba celosamente a ese otro en sí mismo, y lo guardaba de él aborreciéndole, y, algunas veces, aborreciéndola también a ella, como culpándola de su belleza". Vive en permanente brega contra el hombre que pudo ser, contra ese hombre a quien asfixia dentro de sí y con él la sorda aspiración a la felicidad. El hijo, lejos de negarse a ella y de rehuir el amor, los busca y los encuentra, esterilizando de golpe las combinaciones ideadas para impedirlo. Vencedor en el duelo con "Cara-rajada", el caballero es vencido por Pablo; en el vencimiento, en el desastre final influye decisivamente un acontecimiento no muy verosímil: el brusco desenmascaramiento de Elvira, cuyo tortuoso espíritu se traiciona en un histérico arrebato erótico, en un inesperado ademán mezcla de celos y turbia pasión.

No analizaré con detalle a los restantes personajes, pero quiero señalar algunos extremos reveladores de la actitud con que Miró acertó a pintarlos. La presentación de Elvira, la hermana de don Álvaro, anuncia con breve y agudo acorde la perversidad del personaje. El suceso ocurre así: Paulina, la prometida del caballero, está recorriendo la casa donde vivirá a partir del día de su boda; desde la galería contempla el jardín cercano, y de pronto: "Gritó de miedo, porque una mano seca y nerviosa le apretaba la cintura y hallóse delante de Elvira, que la miraba toda. Alta, enjuta, inquieta, se le retorcían las ropas con un movimiento de sierpe; sus dientes blanquísimos, un poco descarnados, le asomaban en una casi sonrisa continua, que se le enfriaba tirantemente sin animar sus mejillas de polvos agrietados".

La figura novelesca irrumpe torvamente; aparece de súbito, y su mano toma inmediata posesión de Paulina, pesa sobre Paulina que grita de "miedo". El miedo, premonición todavía, no tardará en ser justificado por los sucesos ulteriores, en los cuales Elvira demostrará ser la sierpe evocada por sus movimientos. Desde el momento de su aparición la vemos en cuerpo y alma; la pobre Paulina siente la hostil presencia como una fatalidad de ojos negros y boca babeante ("y se pasó los dedos Elvira, quitándose una espumilla que le criaban los rinconcillos de la boca").

Observaciones realistas, como la anotada, son frecuentes en la novela. Recuérdese aquel delicioso final de capítulo, tiernamente irónico, cuando una inocente religiosa entrevió, sin querer, el pecho del capellancito: "Abrióse el hábito don Jeromillo y se las puso, las cartas, en el seno. La Madre entornó los ojos, porque la urdimbre del velo visitandino no impedía que se le viese el rojo breñal de aquella carne de varón. ¡Ay, don Jeromillo era tan velludo como Esaú! ¡Quién lo pensara!".

Otro testimonio del agudo observador que era Miró hallamos en su alusión a la ostentosa meretriz africana, la Argelina, "de tan curiosos afeites, olores y ringorrangos, que las pobres mujeres pecadoras del país se paraban y se volvían mirándola con ojos de mujeres honradas". Profundo atisbo de las reacciones de las "pobres mujeres pecadoras", escandalizadas y aun sublevadas contra el pecado que alardea de serlo y se complace en proclamarse y declararse tal.

Y si, a nivel más vulgar, igualmente certera la contraposición entre otra dulce monjita y la agriada Elvira: "La Hermana puso toda su mirada de luz en los ojos enjutos de Elvira. En la monja asomaba la mujer virgen, y en la señorita de Gandía, la soltera". También era de luz la mirada del novelista, traducida después a la gallardía de la frase bien construida y calculada para producir el efecto deseado.

La gracia de las metáforas contribuye a la vibración de esta prosa, expresiva y trabajada: "vino con un limón como un fragante ovillo de luz"; o ayuda a definir un carácter: don Álvaro "era un santo de piedra antigua", o a precisar una emoción: la mano del novio a quien "Cara-rajada" asesinó: "temblaba como un corazón recién arrancado".

Es preciso estudiar los diferentes servicios de la metáfora en las novelas de Miró: nunca es alarde, ostentación impuramente lujosa. Como en los ejemplos citados, tiende a realzar la situación en que se inserta. No cabe en este artículo el análisis pormenorizado del problema y me contentaré con indicar, a grandes rasgos, la significación de las tres imágenes expuestas.

El que el limón sea "como un fragante ovillo de luz" sugiere la luminosa fragancia de la escena —una escena de amor entre Pablo y María Fulgencia—: "fragante" y "luz" no están escritos al azar y unidos por el azar sino por una mano de artista que sabe cómo han de resonar en el lector, sugiriéndole sentimientos que acaso intentaban tomar forma y, faltos de nombre, no conseguían afirmarse; darles nombre es crearlos y para crearlos artísticamente este método de insinuación y sugerencia es eficaz, porque, lejos de imponer nada consciente, deja que cada cual descubra las presencias palpitantes bajo la prosa.

"Un santo de piedra antiguo", escribe Miró, y la comparación informa de algo sustancial; la metáfora al señalar el parecido entre semblante y estatua incluye la palabra "piedra", que suena como la cifra del arcano. La dureza del personaje, su alma recia y seca se parecen a la piedra y hacen recordarla. Pero, además, los "santos de piedra antiguos" suelen tener la rigidez expresiva y el hieratismo que tanto convienen al espíritu como a la carne del caballero.

Y lo mismo en el último ejemplo: mano-corazón arrancado, identificados en el temblor. Se trata de expresar plásticamente una emoción. Y para conseguirlo Miró lanza al lector la imagen brutal, sangrante, si así puede decirse, del "corazón recién arrancado", pues ella dirá mejor que una descripción larga y enojosa, el estado de total desvalimiento y entregado espanto de la víctima. En la novelística mironiana las metáforas no amortiguan la marcha de la narración. Más bien sirven para avivarla, reduciendo a un solo término expresivo, a un choque fulgurante, lo que de otra suerte exigiría análisis minucioso.

La metáfora se justifica en cuanto es revelación, en cuanto equivalente a un haz de luz desparramada sobre almas, sobre situaciones, para alumbrar repliegues profundos, estratos recónditos. En las obras de Miró representa papel de primer orden y debe de ser estudiada en conexión con aquella opuesta tendencia suya a enfocar los acontecimientos con cierto estatismo, como reflejo de cuadros algo desvaídos: "De pie, rígido y pálido; en la diestra, un pomo de rosas y un guante amarillo; en la siniestra, el junco y el sombrero; la mirada fija en un cobre de una cómoda Imperio; la barba estremecida, y la piedra de su frente con una circulación de sol. Así pidió don Álvaro la mano de Paulina". ¿Se advierte la diferencia? La metáfora compendiadora, sintetizadora de lo esencial, queda sustituida por la descripción selectiva e intencionadamente convencional; cada elemento del retrato está en su lugar; rigidez, palidez, guante, junco y sombrero, "la mirada perdida"... Todo expresivo y escogido con tacto, pero produciendo en la acumulación el efecto retardatario que la metáfora evitaba.

No me atrevo a decir que *Nuestro Padre San Daniel* y *El Obispo leproso* sean la mejor novela de Miró; sí cabe sostener que son la más densa. Ortega y Gasset dedicó al *Obispo* un artículo severo. En él quedaron señalados defectos ciertos y excelencias innegables. Pero falta todavía —y aquí no pretendí sino señalar tres o cuatro puntos de arranque para ulteriores trabajos— un estudio cabal sobre dos libros que figuran entre los más bellos de cuantos se publicaron en la primera mitad del siglo.

LA "GENERACIÓN" POÉTICA DE 1925

¿Hay una generación de 1925? ¿Hubo una generación poética de 1925? Y todavía más: ¿conserva vigencia hoy el concepto de generación literaria? ¿No despide esa idea el tufillo rancio de las doctrinas que un día intentaron sujetar la multiforme y contradictoria realidad en esquemas demasiado rígidos? Se discute si el grupo de poetas españoles en algún tiempo llamados vanguardistas, aparecido en la tercera década del siglo, constituye realmente una generación poética. Aceptando por el momento la vigencia del dudosísimo concepto, quedan fuera del grupo personalidades a quienes no es posible incluir en él sin violentar la idea de generación literaria, y la necesidad de excluirlas hace arriesgadas las afirmaciones tajantes.

Dámaso Alonso, en el precioso ensayo titulado *Una generación poética,* declara sin reservas su creencia en ella [1]. Puede compartirse su opinión desde los límites en que se acepte la conveniencia de agrupar a los artistas en ciertas estructuras orientadoras, útiles para situar al hombre en su tiempo y en relación con sus coetáneos, pero de ningún modo suficientes para revelar lo esencial de cada caso.

---

[1] Igualmente José Luis Cano, en "La generación poética de 1925", en *Revista Nacional de Cultura,* núm. 111, Caracas, julio-agosto 1955.

En el pasado se debatió en España el concepto de generación: José Ortega y Gasset, Julián Marías y Pedro Laín Entralgo, entre otros, dedicaron al tema páginas de interés. Yo, en casos como éste, preferiría emplear el término "grupo", mas por el momento me limitaré a discutir el concepto de generación según se viene aplicando por los críticos. Para la existencia de una generación literaria, Ortega, como Petersen, considera precisas dos notas: coetaneidad y dirección coincidente. Se dan en este grupo. Los poetas del 25 nacen en término de dos lustros, en torno a un eje que podría situarse en el 98, año crucial de la España contemporánea. Veamos las fechas de nacimiento: Pedro Salinas, 1892; Jorge Guillén, 1893; Gerardo Diego, 1896; Dámaso Alonso, Vicente Aleixandre y Federico García Lorca, 1898; Emilio Prados, 1899; Rafael Alberti y Luis Cernuda, 1902. La identidad de camino —en lo fundamental— parece evidente. Luego hablaré de ella [2].

EXPERIENCIAS COMUNES

Encontramos la "comunidad de fecha y comunidad espacial" exigidas por Ortega, que juntas "significan la comunidad de destino esencial", productora "en los coetáneos de coincidencias secundarias, que se resumen en la unidad de su estilo vital" [3]. En cuanto a los factores reseñados por Julius Petersen [4],

[2] Casos especiales son los de Fernando Villalón, 1881; José Moreno Villa, 1887, y Juan Larrea, 1895. El primero, tardíamente incorporado a la poesía, fue, salvo por la edad, uno más de los miembros del grupo; Moreno Villa puede ser contado entre los precursores del vanguardismo (algo así como Ramón Gómez de la Serna en la prosa); Larrea, ausente de España en los años ascendentes de la generación, no debe ser incluido en ella, aunque su poesía fuese radicalmente innovadora y coincidiera en algún momento con el creacionismo de Gerardo Diego.

[3] "En torno a Galileo", en *Obras completas*, tomo V, pág. 39.

[4] "Las generaciones literarias", en *Filosofía de la ciencia literaria,* Editorial Fondo de Cultura, págs. 164 y sigs.

un rápido examen de las circunstancias concurrentes en la promoción poética del 25 corrobora la tesis de su sustantividad como "generación". Señalada la coetaneidad, es preciso fijarse en los elementos educativos y las experiencias generacionales. El grupo está formado directa o indirectamente en el clima de libertad espiritual y exigencia hacia uno mismo, suscitado primero por la enseñanza de don Francisco Giner de los Ríos y después por el magisterio y la obra de Ortega; en poesía coinciden en la admiración por Unamuno, Antonio Machado y Juan Ramón Jiménez; no tienen simpatía por el tipo de vida literaria bohemia, algo mugrienta, predominante en el Madrid de los años veinte. Esta repulsión es consecuencia de la educación y las formas recibidas. Por encima de sus diferencias, los "vanguardistas" tienen una característica común; son los representantes del estilo de vida severo, a la vez tradicional de las mejores tradiciones y rebelde de las necesarias rebeldías, inspirado por una mezcla de fervores en donde coincide el institucionismo con la raigambre popular, el ansia de perfección con el deseo de alcanzarla por nuevos caminos.

En lo estético empalman con el ultraísmo, primera rama ibérica de los movimientos renovadores, o, si se quiere, subversivos, y su actuación les lleva a enfrentarse con los epígonos del romanticismo y el prosaísmo. La inserción del grupo en la avalancha de los ismos corresponde a las "experiencias generacionales". En los años de postguerra vivieron esos poetas una hora de juventud polémica, una hora receptiva, accesibles a las corrientes del tiempo; algunos desde excelentes puntos de observación: Salinas en París hasta 1920; Guillén en la misma ciudad entre 1916 y 1923; Dámaso Alonso en diversos lugares de Inglaterra, Alemania y Estados Unidos; Gerardo Diego viajando por Francia y luego por Hispanoamérica; Prados en Suiza, Francia y Alemania...

Pasan la tercera década del siglo viajando, estudiando; su obra crece influida por experiencias que podemos llamar comunes, no sólo porque de cerca o de lejos participan en ellas, sino porque, unidos en amistad y diálogo, se comunicaron descubrimientos y hallazgos. La poesía y el arte, como la sociedad misma, se debatían —aún siguen debatiéndose— en angustiosa inquisición de sus fundamentos. La inseguridad de la entreguerra marcó el espíritu de estos hombres: la revolución bolchevique ataca a la sociedad burguesa en su raíz; ya no se trata de "cambios" en la estructura política del Estado sino de aniquilamiento de esa sociedad. Se acelera el proceso de divorcio entre artistas y público, y sin acceso aquéllos a otras publicaciones se encuentran confinados en las revistas minoritarias, escritas por poetas y para poetas: *Litoral* en Málaga, *Mediodía* en Sevilla, *Verso y Prosa* en Murcia, *Papel de Aleluyas* en Huelva, *Carmen* y *Lola* en Gijón...

Estas revistas se dirigen a un público especializado, tan reducido como fiel, y el relativo éxito les permite editar algún libro de poesía: así aparecen los primeros de Cernuda, Lorca, Aleixandre, Prados... En 1923 Juan Ramón publicó *Presagios*, de Salinas, en la biblioteca de *Índice*. En 1924 Gerardo Diego y Rafael Alberti ganaron el premio nacional de literatura. Es el primer éxito oficial. Ortega y Gasset les incorpora a la *Revista de Occidente* y edita varios de sus libros: *Romancero gitano* de Lorca, *Cántico* de Guillén, *Cal y Canto* de Alberti, *Seguro Azar* de Salinas. Gracias a Ortega encuentran público más amplio. A los amigos de la primera hora se suman admiradores, discípulos. Me gustaría referirme a los prosistas del grupo, pero no puedo hacerlo sin entrar en una digresión extensa. Por igual motivo debo rechazar la tentación de los temas tangenciales que constantemente surgen.

La "comunidad personal", tan exaltada por Petersen como por Ortega, es, según el profesor alemán, "la vivencia temporal común limitada a un determinado espacio, y que establece afinidad por la participación pareja en los mismos acontecimientos y contenidos vivenciales" [5], o, dicho en castellano neto por

---

[5] *Op. cit.*, pág. 172.

Pedro Laín, el "trato directo entre los miembros del conjunto" [6] en los tres aspectos delimitados por Manheim de situación en un punto, conexión de la generación "que se presenta como unidad de destino de los individuos que se encuentran en la misma situación", y las unidades de generación, o sea los grupos que, de distintas maneras, elaboran las vivencias comunes. La "comunidad personal" fue demostrada por Dámaso Alonso, de modo convincente; la autoridad del crítico viene en este caso robustecida por su condición de testigo, mejor dicho, de actor en los lances narrados por él.

Señala el poeta-crítico la coincidencia de los miembros de su grupo en ciertas actitudes cuya significación, no por negativa es menos profunda: "su generación no se alza contra nada... no tiene tampoco un vínculo político... no hubo un sentido conjunto de protesta política, ni aun de preocupación política... tampoco literariamente se rompía con nada, se protestaba de nada" [7]. (Situándose en 1926 ó 1927 tales afirmaciones son válidas. En 1968, no me lo parecen.) Sucintamente enumera las afinidades positivas: "coetaneidad, compañerismo, intercambio, reacción similar ante accidentes externos" [8], el "sacro horror a lo demasiado humano, muchas preocupaciones técnicas, mucho miedo a las impurezas, desdén de lo sentimental" [9]. Pero todavía más importante es algo, discutible para los científicos, pero valioso para quienes conozcan la crónica de aquellos años y sepan la fecunda camaradería en que vivió este grupo de poetas: la "apasionada evidencia" respecto a la intimidad entre ellos, transmitida por Dámaso en palabras que, por referirse a cosa tan íntima y entrañable, tienen lírica vibración: "Cuando

---

[6] *Las generaciones en la Historia,* Instituto de Estudios Políticos, página 248.

[7] En el ensayo "Una generación poética", en *Finisterre,* núm. 3, segunda época, Madrid, marzo 1948, págs. 197 y 198.

[8] *Loc. cit.,* pág. 209.

[9] *Ibidem,* pág. 218. Obsérvese que estas cuatro notas servirían para caracterizar justísimamente el arte e intenciones de Mallarmé.

cierro los ojos, los recuerdo a todos en bloque, formando conjunto, como un sistema que el amor presidía, que religaban las afirmaciones estéticas comunes. También con antipatías, en general coparticipadas, aunque éstas fueran, sobre poco más o menos, las mismas que había tenido la generación anterior: se odiaba todo lo que en arte representaba rutina, incomprensión y cerrilidad" [10].

Así los veo yo, en el recuerdo de mi adolescencia, como un bloque creador de obras sorprendentes. Muy al contrario que "los noventayochistas". Aquí la imagen responde a la realidad: unidos en la amistad, en las aficiones, en los desdenes. (Las revistas del tiempo —sobre todo la descarada *Lola* de Gerardo Diego— guardan testimonios de ello.) Amistad, aficiones y desdenes les distinguen de los coetáneos ajenos al grupo, y éste se destaca aislado, en la lejanía donde el crítico lo sitúa, en el ayer recordado nostálgicamente por quienes lo vivieron e imaginado por quienes sin haberlo conocido lo evocan, preguntándose qué milagro hizo posible la aparición, en determinado momento, de tan diverso y nutrido equipo poético.

Para responder a esta pregunta no basta analizar el ambiente ni las influencias entrecruzadas y los fenómenos que dan carácter a la época. La respuesta no está al alcance de la erudición ni de la lógica; ciertos factores son demasiado esquivos. Aun así conviene señalar algunas notas interesantes, a sabiendas de que cualquier contestación al interrogante señalado parecerá insuficiente.

EL LENGUAJE COMÚN Y "EL GUÍA"

Establecidas la "comunidad personal", la "coetaneidad", los "elementos educativos" y las "experiencias generacionales", pudiera apuntarse entre los poetas del 25 otro de los vínculos exigidos por Petersen para admitir la existencia de la genera-

----

[10] *Ibidem*, pág. 209.

ción: "el lenguaje común", en cuanto "todo nuevo planteamiento de problemas en el arte y en la ciencia significa un cambio de terminología" [11]. La impresión es favorable. La renovación de la imagen, la busca de la expresión sencilla y la repulsa de las retóricas decadentes, en que todos coinciden, obligaban a desechar los lenguajes mostrencos y —siguiendo el ejemplo de los predecesores modernistas— a buscar medios de expresión originales.

A la poesía "vanguardista" no convenían los artificios sonoros, las suntuosidades coloristas. Necesitaba imágenes distintas y ordenaba las palabras en giros que producen la sensación de constituir un lenguaje inédito. Por influjo principalmente de Juan Ramón en la poesía y de Ortega en la prosa los jóvenes se inclinaron a nuevas formas de expresión. La causa primera de que resultaran tan sorprendentes estriba precisamente en que su lenguaje no era el acostumbrado. Esto se nota quizá más en los narradores: Ramón, Bergamín, Giménez Caballero, Jarnés, Francisco Ayala o Antonio Espina al comienzo apenas se parecen a Valle Inclán, Baroja, Pérez de Ayala o Azorín; la breve colección *Nova novorum,* y los relatos publicados en la *Revista de Occidente* o en ediciones sueltas lo demuestran suficientemente.

En la enumeración de Petersen hay otros elementos: "el guía" y el "anquilosamiento de la vieja generación". Ortega ha sido, desde lejos, el maestro y en cierto sentido el caudillo de las promociones literarias españolas hasta 1936; respecto a la creación poética, pensando en los años veinte (antes de las sucesivas rupturas suscitadas por lamentables incidentes personales y por la "política literaria"), Juan Ramón ha de ser considerado mentor y ejemplo del grupo.

Citaré unas palabras de Antonio Espina, fechadas en 1928, que precisan cuál era la actitud de los jóvenes: "En nuestros tiempos, la obra del único auténtico gran poeta español, Juan

---

[11]   "Las generaciones literarias", *op. cit.,* pág. 183.

Ramón Jiménez, significa una continuada metamorfosis". Y, por si no fuera del todo explícito —¡ese "*único* poeta auténtico" no puede dejarse pasar sin protesta!—, añade: "Creen muchos que el empleo de formas y metros modernos volatilizaría las esencias líricas de un Machado o un Mesa. Yo no lo veo así. Al contrario, opino que las viejas camisas de fuerza les perjudican y los viejos sonsonetes les invalidan en no pequeña parte para el oído actual. No es culpa de las esencias sino de las estructuras" [12].

Lúcidas palabras. Retengamos de ellas esta evidencia: Juan Ramón influyó poderosamente sobre la generación vanguardista. Fue su predecesor y adelantado. Los alentó y favoreció en los comienzos y de él heredaron el gusto por la imagen diáfana y expresiva, la tendencia a captar los objetos poéticos por el lado más original y a presentarlos con ingravidez y gracia, la finura del matiz y el encanto de los ritmos sencillos y tenues.

Neopopularistas, vueltos a lo tradicional o plenamente inmersos en lo presente, hay en ellos una voluntad de estilo que viene de Juan Ramón. La enseñanza de éste y la de Ortega coinciden: el primero pide una depuración que constituye, respecto al poema, la exigencia que en el orden del pensamiento Ortega formula con la palabra "rigor". Depuración o rigor, es lo mismo. El resultado será una poesía bien trabajada y por eso mismo sin retórica, toda iluminaciones expresadas con primorosa exactitud: de Alberti a Guillén, de Aleixandre a Prados, idéntica pasión por ver las cosas en su realidad posible —quiero decir, en la realidad que a cada cual se le descubre— y por comunicar fielmente su intuición.

Respecto al "anquilosamiento de la vieja generación" es necesario distinguir. Este grupo de poetas surge cuando los grandes de la promoción anterior se hallan en plenitud de vigencia. Unamuno y Juan Ramón produjeron en los años veinte algunos

---

[12] A. Espina, "La posada y el camino", en *Revista de Occidente*, volumen 21, 1928.

de sus mejores poemas. Entre ellos y la vanguardia no existió incomprensión. Al revés: el reconocimiento y alabanza de los nuevos valores fue practicado con generosidad por casi todos los hombres del 98: Azorín y Machado fueron de los primeros en ayudarles y defenderles. Apenas se registran ataques de viejos a jóvenes, ni al contrario, y los observables (por ejemplo los de Gerardo Diego contra Juan Ramón y Ortega, en *Lola*) no se deben a específica contradicción generacional sino a querellas de otro orden, como hubieran podido darse entre gentes de la misma edad. Los "anquilosados" son los poetas de las tendencias abolidas: Gabriel y Galán, Marquina, el último Villaespesa... Como ocurre siempre, puesto que la realidad no se deja encerrar fácilmente entre las cuatro paredes de un sistema, ni todos "los viejos" habían perdido flexibilidad y vigor creadores, ni todos los jóvenes estaban interesados en cambiar.

EL PROBLEMA DE LOS "EXTRAVAGANTES"

Hasta aquí sólo esos reparos cabría oponer a la tesis que proclama la vigencia de una generación vanguardista. Falta examinar la objeción referente a la coexistencia con estos poetas —y con los prosistas de idéntico espíritu— de otros núcleos análogos en edad y de formación no muy desemejante, pero de estética y obra distintas. Citaré algunos: León Felipe —ligeramente mayor en edad, mas por la fecha de publicación de su primer libro, *Versos y oraciones del caminante*, 1920, incluido en esta promoción—; Ramón de Basterra, también algo más viejo —nació en 1887—, pero cuyos primeros libros, *Las ubres luminosas* y *La sencillez de los seres*, son de 1923, como *Presagios* de Salinas; Mauricio Bacarisse y Adriano del Valle, nacidos en 1895, entre Guillén y Gerardo Diego; Antonio Espina, José María Pemán y Juan José Domenchina, respectivamente de 1894, 1897 y 1898. Con esto no queda agotada la nómina, pero sí mencionados los más estimables entre los poetas ajenos al grupo.

No es posible caracterizar con una fórmula o mote a los discrepantes. Son tan distintos entre sí como respecto al bloque central. León Felipe se inclinaba al intimismo, a la expresión sencilla y fervorosa, con adherencias modernistas; Basterra, entusiasta de la tradición e impregnado de sus esencias, excelente retórico, orfebre de calidad, afanoso en transformar las vivencias de lo cotidiano en poesía de clásicos lineamientos; Pemán conseguía sus mejores poemas apoyándose en lo popular andaluz; Bacarisse, rezagado del "modernismo", convocaba en su poesía los oropeles del pasado: cisnes, anémonas, morado episcopal, mármoles de Carrara y fustes de Jonia (es significativa la dedicatoria de *Mitos,* su postrer libro de versos, a don Ramón del Valle Inclán); Domenchina tendía a la poesía cerebral, a la invención de un verso diamantino en donde la emoción estuviera frenada por un lenguaje algo barroco; Espina era el más apegado a las formas novísimas, a los ismos, que en sus versos se teñían de humor un tanto triste, reflejando las solemnes sombras del pesimismo ibérico; Adriano del Valle procedía del ultraísmo, y es, entre estos "extravagantes", quien pudiera ser encuadrado con menos dificultad en el otro grupo.

Aceptando la dificultad, por no decir imposibilidad, de agruparlos a todos, es preciso afrontar la objeción de quienes, estimando que las diferencias entre algunos componentes del núcleo generacional no son menores que las observables entre ellos y los franco tiradores, parten de tal hecho para negar la existencia de la generación de 1925. Entre Guillén y Aleixandre o entre Diego y Prados no hay menos distancia que entre Salinas y Bacarisse o (calidad aparte) entre Alberti y Adriano del Valle. Hecho cierto, mas tales diferencias, tratándose de personalidades alentadas, vigorosas y de genuina inventiva, son normales y no estorban al concepto de unidad, dependiente, según vimos, de tener raíces comunes y coincidir en ciertas afirmaciones y negaciones; no en todo, pues, obviamente, sería pueril buscar identidades absolutas. O rechazamos categóricamente el concepto de generación literaria (y cada vez parece más imperativa la repulsa) o admitimos esas diversidades naturales. Por eso es preferible pensar en épocas (o en movimientos) que en generaciones.

Entre los poetas cuya inclusión en el grupo del 25 no ofrece duda noto un parentesco, un aire de familia, ausente en los otros. Salinas y Lorca son distintos, desde luego, pero bajo las diferencias existen simpatías suscitadas por afinidades de intención, fervores y repulsas, que les une como no lo están, por ejemplo, Bacarisse o Basterra. En éstos no encuentro las notas generacionales exigidas por Petersen. Tienen la misma edad, pero ni viven igual ambiente, ni fueron influidos por experiencias semejantes, ni se dio la comunidad personal (salvo en algún caso: Espina y Bacarisse colaboraron en la *Revista de Occidente* y en *La Gaceta Literaria*), ni emplean igual lenguaje: León Felipe, Espina y Adriano del Valle escriben de otra manera; Pemán aparece en el ruedo literario presentado por Rodríguez Marín; Domenchina es una isla de acerada voluntad por "corporeizar lo abstracto", según escribió Díez Canedo...

Las experiencias generacionales sí les afectan a todos. Desde León Felipe a Cernuda, fueron actores en sucesos idénticos, y a partir del final de la Dictadura, por distinta que fuere su manera de encarar la sociedad, coincidieron —salvo Pemán— en la necesidad de reformarla radicalmente. (Más tienen de común los adversarios combatientes en una guerra, que los hombres de cada bando beligerante con sus partidarios de treinta años después.)

Si la coetaneidad y la participación en determinadas experiencias resultan factores esenciales para caracterizar a una generación, podríamos considerar decidida la cuestión y, fijando cierta difusa periferia al núcleo propuesto, situar más o menos alejados del centro ideal a los disidentes. No conviene encasillar a los poetas, pero sí esclarecer un poco lo acontecido en la poesía española hacia 1925, precisando su alcance y la extensión de la ruptura con la lírica precedente. En la tercera década del siglo no se registra ningún serio movimiento de oposición al empuje renovador; los poetas que se mantuvieron al margen quedaron aislados en un borroso segundo plano.

UNA ÉPOCA DE CRISIS

La adecuada valoración de la poesía "nueva" exige examinar el ambiente espiritual en que surge. No me refiero sólo al ambiente de España, sino al de Europa, del que era reflejo el nuestro, siquiera adaptado a las peculiaridades de lo hispánico, fuerza demasiado vigorosa para no dejar huella en cuantos fenómenos le afectan. A partir de la guerra "europea", e incluso antes, fermentan escuelas y movimientos artísticos, expresivos de la inquietud contemporánea. No puedo intentar una descripción, ni reducida a esquema, del ambiente en sus dimensiones filosófica, cultural y política. La amplitud del asunto obliga a restringir el comentario a lo estético, aun advirtiendo la dificultad de explicar su sentido si no se investiga el alcance de los factores determinantes, la situación donde arraiga y los cambios en la ideología y la sensibilidad que, con lejanos puntos de partida, se hacen notorios desde el final de aquella guerra.

La guerra (la de 1914-18), al destruir bruscamente el equilibrio de la burguesía occidental, mostró la escasa vitalidad de los principios en que ese precario equilibrio se asentaba. Tal fue el origen de la crisis: fallaron los fundamentos de la sociedad y se alteró la combinación de fuerzas existentes. Los poetas se vieron en trance de afrontar esa situación, puesto que de ella partían para decir su palabra, y al hacerlo adoptaron actitudes distintas, entiéndase, opuestas.

El grupo de poetas españoles que en diez años, desde 1925 a 1935, se coloca entre lo más distinguido de la lírica contemporánea, vive plenamente ese momento de crisis, vive en su tiempo. Nutrido de esencias populares y empapado en las fecundas aguas de lo español, recoge inquietudes de su hora y se siente europeo y universal. La poesía de estos hombres puede diferir y de hecho difiere en muchos puntos, pero coincide en su sincronía con las corrientes de la época. En esta esfera la crisis se presenta como ruptura, como diversificación polémica del concepto de poesía: los ismos se multiplican y contradicen, testimoniando abundancia de corrientes. Esta proliferación es beneficiosa. Cunden extravagancias, manierismos y simulaciones, pero la incesante búsqueda, el estimulante ardor por los descubrimientos, ensancha y profundiza el mundo poético. Notas nuevas se incorporan a la lírica, y entre ellas formas inéditas o renovadoras. La poesía corre una aventura; según dejó bien explicado Albert Thibaudet, una aventura consciente. Esta aventura (magistralmente estudiada entre nosotros por Guillermo de Torre), cuyas raíces prenden en dos poetas de valor desigual —Rimbaud y Lautréamont—, tuvo en España un nombre bonito: se llamó ultraísmo [13].

ANTECEDENTES DE LA RENOVACIÓN

Antes de estudiar la renovación recordaré algunos antecedentes del momento poético español 1920-1930. El modernismo fue el impulso potente recibido por nuestra poesía en los últimos años del siglo XIX. No el único, pues está Bécquer, está Rosalía, huertos delicadamente cultivados, donde crecen rosas de dulcísimo olor, precursores de lo mejor del movimiento modernista, sino el más anchuroso y difundido. El modernismo, como el romanticismo o cualquier otra época literaria, no puede ser definido rígidamente; suscitado por poetas de acusada personalidad y vasto aliento lírico, adopta en cada cual características propias, difíciles de reducir a ordenación común. Con acierto escribe Federico de Onís: "el subjetivismo extremo, el ansia

---

[13] Véase, ahora, Gloria Videla, *El ultraísmo*, Editorial Gredos, Madrid, 1963.

de libertad ilimitada y el propósito de innovación y singularidad —que son las consecuencias del individualismo propio de este momento— no podían llevar a resultados uniformes y duraderos" [14].

A pesar de eso los modernistas tienen algo común —aparte del carácter negativo, señalado por el propio Onís, general a todo impulso renovador, de reacción contra la poesía precedente—; dentro de sus innegables diferencias tienen un tono semejante, nacido de la voluntad de crear desde una estética distinta a la de sus predecesores: contra la sonora oquedad, el sentimiento expresado con gran preocupación por la belleza formal. Frente a Núñez de Arce, Zorrilla o sus discípulos, impersonales, descriptivos y más bien hueros, los modernistas —y sus precursores— quieren comunicar algo entrañable, necesitan comunicarlo, tienen, como luego se ha dicho, "mensaje".

El "subjetivismo extremo" de que habla Onís produjo efectos fecundos en la poesía española. Siguiendo ese rumbo liberador los modernistas alcanzaron la plenitud. Buen ejemplo para quienes vinieron después, y en tal sentido cabe decir que los poetas de la "generación" de 1925 sienten la atracción del modernismo. Y al mismo tiempo y conjugada con ella, otra no menos operante (siquiera la penetración se realice con suaves modalidades) les muestra caminos desdeñados. La influencia de Bécquer y de Rosalía de Castro, vigente hacía lustros en los mejores espíritus, en Unamuno, Machado, Juan Ramón, pesa sobre los "poetas jóvenes". Y apenas es necesario decir que estas influencias —y las demás observables: Juan Ramón, Valéry, el surrealismo, la poesía medieval española, Góngora...— actúan desigualmente en los poetas del grupo, contribuyendo, por la diferente proporción de la mezcla, a reforzar singularidades temperamentales.

---

[14] *Antología de la poesía española e hispanoamericana*, Centro de Estudios Históricos, Madrid, 1934, pág. 14.

SÍNTESIS, ARMONÍA

Hay en el aire del tiempo una armonía de varios cuya coincidencia no se establece sin dificultad en el espíritu de estos hombres. Refinados y populares, tendidos hacia la aventura y con raíces en lo tradicional español, en sus gustos y en su obra se dieron de alta corrientes diversas. En Lorca y en Alberti no serán menos legítimos los romances y canciones populares que los poemas de inspiración surrealista; en Gerardo Diego no tendrán menos pasión los sonetos de *Alondra de verdad* que los poemas de *Imagen* y *Manual de espumas*.

¿Por qué renunciar al pasado si lo sienten fervorosa, creativamente? ¿Por qué poner puertas al campo y creerse obligados a escoger entre lo pretérito y lo futuro? "Vive en nuestra alma con todo su fuego la emoción del arte histórico", escribía Antonio Espina en 1923, glosando la publicación de *Soria*. Y añadía: "El porvenir por otra parte nos solicita con violencia. Sentimos la mansión plateresca y el rascacielos. El velón de Lucena y el arco voltaico... De tal duplicidad nacen dudas y disociaciones en el espíritu del hombre e incoherencias en su obra estética" [15]. Intentan resolver esas dudas en una síntesis acogedora de todas las tendencias hirvientes en su espíritu, y, cuando no lo consiguen, la obra se escinde y adopta esa doble faz, a lo Jano, tradicional de un lado y revolucionaria del otro.

No es sólo curiosidad, aunque sea *también* curiosidad, sino movimiento de mayor calado: inclinación irresistible, verdadera necesidad estética de expresar intuiciones captadas en círculos de atracción diferentes; no podían renunciar a ninguna sin sentirse disminuidos, amputados. Cierto que la atracción del ayer es inseparable del impulso renovador, y —por ejemplo— la visión soriana de Gerardo se manifiesta a través de las imágenes y el lenguaje de la lírica renovada.

---

[15] Antonio Espina, "*Soria*, de Gerardo Diego", en *Revista de Occidente*, vol. I, 1923.

Moreno Villa dice: "algunos de los poetas nuevos eran en el fondo tradicionalistas: Federico y Gerardo Diego los casos más elocuentes. Y ambos han titubeado entre lo formal antiguo y lo informal moderno; hicieron sonetos a la vez que poemas a lo francés en boga" [16]. Tal opinión se halla bastante generalizada, pero aventuraré una discrepancia respecto al verbo escogido por Moreno Villa para definir la actitud de Lorca y Gerardo Diego —también, podría añadirse, de Alberti—: al verbo "titubear". No hubo titubeo, sino intento de responder a incitaciones opuestas, a tendencias que se manifestaban en aparente contradicción, en oposición de fines y medios.

El fenómeno es serio: implica la tentativa de lograr una síntesis, fusión de corrientes y antagonismos que debieron resolverse en una armonía superior, como la conseguida en la poesía de Jorge Guillén, donde también se trasluce la actitud ambivalente, abierta a todos los vientos, la simpatía por manifestaciones muy distintas del genio poético.

La oscilación entre lo tradicional y lo revolucionario tuvo durante años su exponente máximo en otro español: Pablo Ruiz Picasso. Apoyándose en tan ilustre ejemplo la vanguardia poética consideró legítima su faz bifronte, vuelta a la aventura y al reflorecimiento de lo eterno español en las dos vertientes, culta y popular, que la solicitaban. Lo nuevo ofrecía la delicia del choque imprevisto, que aleja a la beocia transeúnte, y la incitación de los descubrimientos posibles. Para gentes de talento, bien dotadas y deseosas de afirmarse, la renovación de materiales y formas expresivas era tentación difícil de vencer: "la nueva generación —escribe Moreno Villa— irrumpía sin miedo, en franca algarabía, y la tensión de la vida literaria de entonces era muy fuerte" [17].

Esa tensión obedecía al no-conformismo ambiente (en la minoría); a la voluntad de crear y no repetir lo hecho, mante-

---

[16]   Moreno Villa, *Vida en claro*, El Colegio de México.
[17]   Moreno Villa, *Vida en claro*, pág. 154.

niendo al mismo tiempo el contacto con lo popular, porque en
ello veían la esencia de lo español, nuevo también en cierto
modo, pues durante siglos había sido desdeñado y suplantado
por artificiosidades y simulaciones.

POESÍA VERSUS LITERATURA

Cuanto fuera poesía o fuente de poesía entraba en el campo
de su interés. La poesía entendida en oposición a la literatura.
Cuando ésta se disfraza y quiere pasar por lo que no es, coinciden los poetas de 1925 (en este punto, de acuerdo con Juan
Ramón Jiménez) [18] en el deseo de repudiarla y arrancarle la
máscara, estableciendo radical separación entre literatura y poesía. Gerardo Diego, portavoz generacional, lo hizo con palabras
terminantes en el prólogo a la Antología de 1932, y apoyándose en tal distinción justificó la exclusión de poetas como Basterra y Bacarisse: "Cada día que pasa —escribió— vamos viendo con mayor claridad que la poesía es cosa distinta, radicalmente diversa de la literatura. En cuanto a mí, hace tiempo que
vengo sosteniendo esa fe en toda ocasión oportuna. Pues bien,
esa fe es creencia también, más o menos firme e inquebrantable, según los casos, de cuantos poetas figuran en este libro.
Y no sólo fe teórica sino fe práctica, que eleva sus versos a una
altura de intención, a una pureza de ideales muy alejados del
campo raso, mezclado, turbio de la poesía literaria corriente" [19].

Toda la generación está entonces de acuerdo en establecer
ese distingo e impugnar la validez de la poesía literaria como
adscrita a un ámbito "mezclado y turbio" distinto del habitado
por ellos. Quizá estas palabras de Diego sirvan para precisar
un concepto cuya significación nunca estuvo del todo clara: me

[18]   Juan Ramón Jiménez, *Poesía y literatura*, University of Miami,
sin año.
[19]   Gerardo Diego, *Poesía española - Antología*, Editorial Signo,
1932, pág. 8.

refiero al concepto de "poesía pura". Partiendo de la frase citada veremos que poesía-pura o, si se quiere, poesía-poesía, o poesía a secas, como Gerardo la llamaría, no es término para enfrentado a poesía humana, sino a poesía turbia; poesía pura es lo contrario de poesía mezclada, lastrada por arrastres literarios que la nueva generación reputaba indeseables.

La oposición literatura-poesía aclaró posiciones. La palabra "literatura" había sido empleada por escritores franceses, con intención peyorativa, en *Littérature;* más tarde, cuando en 1934 Ildefonso-Manuel Gil y yo publicamos en Madrid la revista *Literatura,* escogimos el título para reivindicar el término, reaccionando contra desdenes excesivos. Gerardo Diego, con anterioridad a la Antología, en cierto apasionado artículo programático publicado en 1924, sostuvo exageradamente que la literatura no era "en cierto modo, sino una enfermedad de la poesía" [20], y propugnó el retorno a la sencillez.

La poesía, como las demás artes, vive desde finales de siglo en estado de exaltación creadora: crear es el concepto clave; se pretende infundir a la palabra, el color o la línea una vida que no sea reflejo, imitación o copia de otra cosa. Con Bécquer y Rosalía aparece en la poesía de lengua española el ansia renovadora. Los vanguardistas reaccionan contra el modernismo "exterior", aunque algunos, como Alberti y Lorca, estén impregnados de sus conquistas, si no inmersos en él. El afán de mantener la poesía apartada de contactos "espúreos" es causa de cierta frialdad contra la cual no tardarán en reaccionar ellos mismos. Aleixandre con *Sombra del Paraíso,* Dámaso Alonso con *Hijos de la ira,* Salinas con *La voz a ti debida,* superan y desbordan las limitaciones iniciales.

En 1924, poco antes de que Gerardo Diego publicara el artículo mencionado, Eugenio Montes, reseñando en la *Revista de Occidente* las *Nuevas Canciones* de Antonio Machado, es-

---

[20] Gerardo Diego, "Retórica y poética", en *Revista de Occidente,* volumen VI, pág. 281.

cribía: "El primer artículo de todas las constituciones que rigen
las repúblicas literarias producidas por la guerra, dice, con rara
uniformidad: 'Nada de anecdótico' " [21]. La aversión a la anécdota se contagió a los prosistas, se contagió —y esto es más
extraño— a los novelistas, privando a la novela de elementos
sustanciales. Benjamín Jarnés escribió en *El profesor inútil* un
relato en donde el narrador pretendía simplemente expresar sus
sensaciones ante los sucesos más cotidianos y grises: la sensación, instalándose en primer plano, acabó devorando la posible
novela.

La poesía ganó en intensidad y en gracia puramente lírica;
de la anécdota bastaba la esencia, y esa esencia, al acendrarse,
suscitaba poemas de admirable luminosidad:

> ¡Oh luna, cuánto abril!
> ¡Qué vasto y dulce el aire!
> Todo lo que perdí
> Volverá con las aves.

El poema fulge en la hermosura de la creación lograda. Las
vivencias palpitan en la palabra, sin empañar su tersura, sin
emerger bruscamente, contenidas con suavidad, como pájaro en
la mano de amorosa dueña. (El poema *es* la experiencia.) Moreno Villa, algo mayor que los restantes vanguardistas, no consiguió ahuyentar de sus versos el reflejo de la anécdota: *Jacinta
la Pelirroja,* su mejor libro, es autobiográfico y tiene intención
narrativa no disimulada.

La pretensión de lograr una poesía puramente poética no
podía significar alejamiento de la vida, suplantación de la vida
por referencias abstractas, como fingieron entonces los epígonos
del postromanticismo apegado a la rutina versificante; el vanguardismo quería ser un movimiento purificador, un movimien-

---

21 Eugenio Montes, "A. Machado: *Nuevas Canciones*", en *Revista de Occidente,* vol. IV, 1924.

to eliminador de lo convencional y del lugar común designado genéricamente con el vocablo "literatura".

El transcurso del tiempo permite ver lo que entonces ni los protagonistas acertaban a expresar con nitidez: la aversión a la anécdota era consecuencia del propósito de excluir la retórica al uso. Para ellos la retórica era un enemigo que se sustentaba de facilidad y vulgaridad: facilidad conseguida adoptando ritmos prefabricados, convenciones desvaídas y pegadizas; vulgaridad nacida de la comunión en sentimientos mostrencos, en la parodia de ajenas inspiraciones.

Por rehuir escollos de la retórica usual caían los poetas de la vanguardia en la llamada "oscuridad", aunque sus obras no fueran más o menos "oscuras" de como siempre pudo parecerlo la poesía lírica. Oscuridad o dificultad dependían de la intensidad, concentración y depuración de los elementos utilizados; dependían de la negativa a dejarse seducir por el tópico y a buscar no lo puro, sino lo menos impuro, lo más capaz de sustentarse por sí; quiero decir, por la eficacia de la palabra considerada como medio de expresar las intuiciones de manera fulgurante y única:

> ¡Inteligencia, dame
> el nombre exacto de las cosas!
> ...Que mi palabra sea
> la cosa misma,
> creada por mi alma nuevamente.

Estas líneas de *Eternidades* las aceptaron los poetas de la generación del 25. El ansia creadora, a que me referí, queda expresada en los versos de Juan Ramón y también el afán de convertir la palabra en la cosa, el poema en experiencia, que les consintió renunciar a la escenografía precedente para sumergirse en su propia intimidad. No se pretendía contar una intimidad sino transmitir una vibración que para ser aprehendida exigía desplazarse primero al plano estrictamente lírico donde el poeta se situaba: de la exactitud verbal dependía la magia de la sugestión, la fuerza del poema.

Tal era la tendencia predominante, mas convendría distinguir las formas en que se manifestaba; tratándose de poetas toda generalización es peligrosa y deberá ir acompañada de las necesarias reservas. Lo común es la voluntad de "creación" —entendiendo el vocablo según antes dije— y el cúmulo de adherencias y repulsas sobre las cuales fundan su obra.

El ultraísmo, primera etapa de la renovación poética, si falto de pujanza creadora, sirvió como fermento, útil para cristalizaciones sucesivas. Fue una bocanada de irreverencia contra los escalafones de la lírica oficial, contra la prosaica vulgaridad entronizada en periódicos y revistas, universidades y salones de conferencias. La discrepancia se tornó agresiva, para expresar con energía la ruptura.

Los ultraístas no permanecieron separados de la generación del 25. Federico García Lorca sirvió de enlace entre la tertulia del café del Prado, donde se reunían, y el grupo de la Residencia, cuyo miembro más hecho era entonces José Moreno Villa [22]. En la Residencia se vivía con un estilo no habitual en España, y la influencia de la casa sobre la generación del 25 y en general sobre la intelectualidad española aún está por historiar.

LA RESIDENCIA

Gobernaba la Residencia de estudiantes un hombre de gusto delicado, Alberto Jiménez Fraud, educador nato, que aspiraba a dirigir la formación intelectual de sus huéspedes. El ambiente era distinto del predominante en las fondas y hospederías frecuentadas por escolares, incluso de internados y colegios. En la Residencia la atmósfera de trabajo y discreción forjada por el director no impedía la fermentación de grupos y subgrupos

---

[22] Guillermo de Torre, *Tríptico del sacrificio,* págs. 58 y 59.

en torno a ciertos residentes. Conferencias, visitas de escritores y científicos extranjeros, una revista propia, ediciones de obras cuidadosamente seleccionadas daban a las actividades del centro un tono intelectual caracterizado. Con los estudiantes convivían personas como Juan Ramón, Moreno Villa, Beceña, Unamuno (a temporadas), Orueta, que con su presencia, por el ejemplo en el comportamiento, la exigencia y la vocación intelectual, cooperaban con Jiménez Fraud en el intento de convertir la Casa en eficiente instrumento formativo.

En 1926 empezó a publicarse la revista *Residencia,* como "medio de relación continua entre los más distantes Residentes, que acuse la comunidad de sentimientos creada por la convivencia residencial", y desde los primeros números de la publicación aparecen en ella trabajos de jóvenes, junto a textos de los maduros: Azorín, Juan Ramón Jiménez, Moreno Villa, Benjamín Jarnés, José Bergamín, Rafael Alberti, Antonio Espina, Antonio Marichalar, Eugenio d'Ors, Enrique Díez-Canedo, Ramón Gómez de la Serna, Melchor Fernández Almagro, Federico García Lorca... Dado el carácter de la revista sólo excepcionalmente insertó poemas; entre las prosas se encuentra alguna tan característica de las preocupaciones generacionales como la conferencia de Lorca: "La imagen poética de don Luis de Góngora".

Por la Residencia desfilan en aquellos años (26 al 35) las figuras más eminentes de la literatura y la ciencia europea. Sin intentar ni remotamente agotar la nómina dc cuantos allí pronunciaron conferencias o profesaron cursillos citaré varios nombres para que el lector pueda darse idea del nivel alcanzado por las actividades residenciales: Mr. Howard Carter (descubridor de la tumba de Tutankamon), G. K. Chesterton, Paul Valéry, Paul Claudel, Conde de Keyserling, Madame Curie, Max Jacob, Louis Aragon, Blaise Cendrars, Hilaire Belloc, H. G. Wells, J. B. Trend, Condesa de Noailles, Henri Bergson, Arthur S. Eddington, el economista J. M. Keynes, Leonard Woolley (descubridor de Ur de los Caldeos), los músicos Ravel,

Poulenc y Darius Milhaud... La mención de estos nombres basta para garantizar la calidad del esfuerzo realizado por la Residencia y concretamente por Jiménez Fraud, para poner en contacto a los españoles con lo más distinguido de la intelectualidad europea.

La Residencia quiso ampliar su órbita de influencia, atraer gentes de fuera, y atraerlas seleccionándolas, dando a sus actos y publicaciones un nivel de gran exigencia. Por Juan Ramón y Moreno Villa, y más directamente por Lorca, el espíritu residencial pesó en la formación de la generación de 1925 y constituye uno de los elementos influyentes en ella.

Para esa formación, la Residencia, como institución modeladora de espíritus y suscitadora de costumbres, significó tanto como las corrientes venidas de fuera o impulsadas por resonancias del exterior. Si al comienzo tuvo cierto aire exótico, no tardó en aclimatarse y en convertirse en centro donde los intelectuales buscaban defensa contra la chabacanería y la vulgaridad de otros ambientes.

Escritores y artistas reaccionaban contra la confusión de la vida intelectual española; contra el compadrazgo y el igualitario "todos somos unos" implícito en la actitud de los círculos predominantes: academias, ateneos o redacciones. La Residencia, las revistas "jóvenes" (*Verso y prosa, Litoral, Mediodía, Papel de Aleluyas, Carmen...*), la *Revista de Occidente* y la *Gaceta Literaria* fueron refugios en donde se fortaleció la conciencia minoritaria de la generación ascendente.

LA CONCIENCIA MINORITARIA

La locución "conciencia minoritaria" voy a aclararla sin demora. Como el concepto poesía-pura, los de minoría y mayoría ocasionaron confusiones, de las cuales (explotándolas deliberadamente) se dedujeron y aún se deducen conclusiones falsas.

La existencia de grupos discrepantes, estímulo necesario para el diálogo, provoca la aparición de minorías, generalmente dinámicas y fervorosas, beligerantes frente a la masa semisorda y semi-ciega opuesta al reconocimiento de inquietudes que no comparte. Es ley de validez universal. Pero a los grupos vanguardistas se les pretendió enfrentar, no con la masa beocia regresiva compuesta de irresponsables, mistificadores, bohemios y foliculanos a quienes en realidad combatían, sino con el pueblo mismo. Se simuló olvidar que "minoría" equivalía aquí a "minoría literaria", y "mayoría", a "mayoría literaria", no a mayoría a secas.

Las "minorías selectas" no se oponían al pueblo, ajeno al debate, sino a las gregarias "mayorías literarias" a quienes la chabacanería beneficiaba, al fomentar confusiones útiles para los usufructuarios del barullo. La nueva generación llegó con voluntad discriminadora; con deseo de colocar obras y personas en su sitio. Frente a poetas menos exigentes y a gacetilleros turbios estableció una división terminante, una frontera difícil de franquear. Recuérdense las barreras puestas por Diego en su *Antología* a hombres como Bacarisse y Basterra. ¿Se equivocó en 1932? Pienso que no; ese rigor fue beneficioso, pues acabó con el equívoco y fijó con claridad las posiciones.

Las declaraciones de los antologizados en ese volumen sirven de referencia para determinar su actitud frente a la poesía y los poetas. No conviene atribuirlas valor absoluto, ni considerarlas como reveladoras de una doctrina a la que necesariamente debían atenerse. El valor de manifiestos y programas es relativo; la poesía nace de intuiciones, no de pensamientos e ideas. Esto es evidente, pero también lo es que el poeta vive una actitud y un estilo de pensar que inevitablemente influyen en la creación.

Si acaso indiferente para el análisis de la obra misma, toda exposición de principios resulta preciosa para estudiar la actitud de unos hombres, de un grupo. "Poema con poesía y otras cosas humanas", pedía Jorge Guillén, y *Cántico* permaneció fiel a esa exigencia; "la poesía es una aventura hacia lo absoluto", aseguraba Salinas, y su obra responde a esa concepción arriesgada de la creación poética; "el fenómeno poético es un estado de gracia", afirmaba Moreno Villa, y García Lorca puntualizaba: "si es verdad que soy poeta por la gracia de Dios —o del demonio— [23], también lo es que lo soy por la gracia de la técnica y del esfuerzo y de darme cuenta en absoluto de lo que es un poema", coincidiendo con Valéry (y con Baudelaire y Poe). Dámaso Alonso lo decía en otras palabras: "poeta es el ser humano dotado en grado eminente de este fervor y esta claridad y de una feliz capacidad de expresión".

Baste este manojillo de citas para testimoniar sobre extremos importantes. La "generación" de 1925 intenta una poesía densa y entrañable; poesía de esencias y de vivencias; no retórica sino fulgurante; no sólo inspirada —aunque en primer término inspirada— sino conseguida con plena conciencia de los medios puestos en juego. Estado de gracia y fervor por un lado; esfuerzo y técnica por otro. El poeta es un inspirado y también un artista. Los hombres del 25 cuidan la composición rehuyendo las facilidades en que se extraviaron, por ejemplo, Carrere (cuyos versos fueron alguna vez dictados por la Musa), Marquina y Fernández Ardavín. Corren una aventura, pero no a ciegas: lúcidamente; sin embriagarse ni con sentimientos ni con palabras. Saben buscar en cada caso, según su personalidad, medios para expresar sus intuiciones. El aliento poético, al revés de lo imaginado por algún alma ingenua, lejos de resultar disminuido por ese esfuerzo, alcanza, gracias a él, plenitud de expresión y por lo tanto plenitud de eficacia. Técnica no quita pasión; más bien la realza y traduce en forma adecuada para provocar impulsos de simpatía y participación.

Esta lucidez dio a la poesía "vanguardista" una fisonomía propia, diferente de la mostrada por los epígonos postrománti-

---

[23]   Algo semejante decía ya Sainte-Beuve, hablando de Musset. *Causeries du Lundi,* vol. I, pág. 301.

cos. Es la fisonomía de la inteligencia vigilante, del esfuerzo empeñoso y hábil: constante generacional, pues no aparece únicamente en poetas como Guillén o Gerardo Diego; con otros aspectos y bajo distintas formas, en Aleixandre, Lorca o Alberti. El neopopularismo de estos últimos consiste esencialmente en una visión de lo popular a través de la inteligencia. Pedro Salinas lo señaló, comentando la poesía de Alberti: "es un popularismo domeñado por la inteligencia y la gracia de lo culto" [24]; el caso de Lorca es semejante y su refinamiento de lo popular, su revisión de lo popular parte de los mismos supuestos y está hecha con idéntica finura. Las imposibilidades del surrealismo español quizá obedecen a este predominio de la inteligencia. Alberti en *Sobre los ángeles,* Lorca en *Poeta en Nueva York,* Aleixandre y Cernuda en diversos textos se benefician de las conquistas de la escuela, pero sin respetar su dogmática y sus postulados; aceptan el surrealismo en cuanto movimiento liberador, en cuanto provee nuevos y excelentes recursos expresivos, facilitando la comunicación de intuiciones borrosamente captadas, emergentes en una marea turbia, mezcladas con arrastres de sentimientos que se interfieren de manera fortuita, sin que entre unas y otros sea posible establecer conexiones lógicas.

Beneficiarios de estas libertades, y al parecer consintiendo que el inconsciente dictara su mensaje con abandono de la razón, su actitud implicaba, en realidad, reserva y desconfianza en la validez de los resultados obtenidos. Les faltaba la fe porque para ellos la poesía no era simplemente magia y misterio, sino (como vimos), técnica y esfuerzo.

Los vínculos lógicos podían atenuarse, pero no desaparecer. El poema arranca de la necesidad de dar forma a una intuición y para conseguirlo el poeta evita cuanto le desvía de esa necesidad, buscando la adecuada coherencia entre lo sentido y lo expresado. Cuando algunos poetas del 25 quisieron aproxi-

---

[24] Pedro Salinas, "La poesía de Rafael Alberti", en *Índice Literario,* núm. 9, noviembre 1934.

marse al surrealismo e intentaron abandonarse a lo inconsciente, les faltó decisión —convicción, probablemente— para transmitir sus dictados con ausencia de todo control racional —según exigía André Breton—: la creación se acoge a una última instancia regida por la inteligencia, desde donde sutilmente se establecen las condiciones en que ha de realizarse.

Decía Gerardo Diego: "Hay que arriesgarse hasta el fondo. Darse entero. Y pensar mucho. Lo consciente después de lo espontáneo, pero también antes de lo espontáneo: programa y esqueleto" [25]. La afirmación es tajante: predominio de lo consciente; consciencia desde el momento inicial de la creación y aún antes, para captar el puro brote intuitivo del poema.

¿Y por qué pensar, como un día lo hiciera Juan Chabás, y tras él otros muchos, que esta poesía pecaba de fría? ¿Por qué escribir, como Chabás reseñando el primer libro de Vicente Aleixandre, que "el ansia de una pulcritud formal extrema hurta impulso, corta audacia a cordiales expansiones"? [26]. Si en 1928 la objeción pudo ser válida (con referencia a algunas obras y algunos poetas), las cosas han cambiado mucho y a la vista de los textos no sería lícito mantenerla. A la frialdad de *Ámbito* opondríamos el ardor de *La destrucción o el amor, Sombra del paraíso* e *Historia del corazón,* cantos de pasión en que el poeta se entrega, sin atenuar, por supuestos escrúpulos de pulcritud, las "cordiales expansiones" mencionadas por el comentarista.

Y los poemas de Aleixandre no perdieron en pulcritud; ganaron en cuanto logró (y lo mismo podría decirse de sus compañeros de generación) estilo y tono personal dentro de una forma propia. La humanización de la poesía empieza en seguida (si de veras alguna vez faltó), quizá porque la arremetida antisubjetiva, el derribo violento de los ídolos corrió a cargo de

---

25 Gerardo Diego, *"Canciones* de Lorca", en *Revista de Occidente,* vol. XVII, pág. 384.

26 Juan Chabás, *"Ámbito* de V. Aleixandre", en *Revista de Occidente,* vol. XXI, 1928, pág. 247.

los ultraístas y después el terreno quedó despejado y libre para ulteriores construcciones.

La generación del 25 se beneficia de la negación ultraísta y partiendo del desequilibrio establecido por ella busca pronto una compensación, una poesía no artificiosa y convencional sino clara, espontánea y arraigada en la experiencia. En un primer momento algunos de estos poetas se mostraron reacios a lo personal, porque encontraron mucha excrecencia sobre ello, demasiadas convenciones insignificantes: decorado y ruido, retórica y poética, pero no poesía. Ese momento es fugaz y en poco tiempo superan tal actitud quienes la adoptaron. La frialdad perceptible en dos o tres libros primerizos de otros tantos poetas no les impidió hallar pronto un acento en que expresar sin reservas sus sentimientos. Terminantemente dice Gerardo Diego (cuyo primer libro publicado fue, nada menos, un *Romancero de la novia*): "cuando se acusa a la poesía de hace veinte, quince años, de fría, de cerebral o de ebúrnea y egoísta, si no se dice una majadería por impotencia de decir algo mejor, se comete al menos una deliberada injusticia. Porque la combustión andaba por dentro de aquellos versos sincerísimos —no me refiero ahora a los míos sino a los mejores ajenos— y al posar la mano sobre ellos una piel delicada podría advertir inequívoca la onda térmica que le subía del rescoldo cierto" [27].

GÓNGORA, LECCIÓN GENERACIONAL

El centenario de Góngora, en 1927, provocó manifestaciones definitorias. Góngora, como Mallarmé, contribuye a forjar algunas actitudes de la vanguardia, especialmente el desdén hacia el gusto general; en Góngora encuentran los poetas del 25 una actitud semejante, popularista a ratos y culta a sus horas. De Mallarmé arranca la voluntad de no transigir con la litera-

---

[27] Gerardo Diego, *Alondra de verdad*, pág. 70.

tura de encargo; la negativa a ser literatos a tanto la línea o a comerciar con la pluma.

Hasta 1927 Góngora pasaba por un poeta que junto a deliciosos poemillas, hijos de festiva y picaresca musa, y a varias canciones finas y bien compuestas, escribiera engendros culteranos sólo explicables por el descenso a sombras cuasidemenciales. Don Juan Hurtado, catedrático de Literatura española en la Universidad Central, nos enseñaba, en vísperas del centenario, curso de 1924-25 (supongo que continuaría diciéndolo más tarde, pues era hombre de ideas cortas, pero arraigadas), que Góngora se había dejado ganar poco a poco por "la afectación, la pedantería y el lenguaje alambicado y oscuro", cayendo en el mal gusto a causa de que "su carácter arrogante y espíritu independiente le hizo desestimar toda advertencia" [28]. Y si no expresada con tan tosco dogmatismo, tal era la opinión común.

Los hombres de la generación de 1925 atacaron el añejo tópico, y sin desdeñar la alharaca juvenil, ruidosa y alegre en que se juzgó y ejecutó a los incomprensivos, trabajaron seriamente para poner de relieve la grandeza del poeta cordobés. En *Lola,* la desenvuelta compañera de *Carmen,* revista chica de poesía, se encuentra la crónica del centenario escrita por un portavoz autorizado: Gerardo Diego, uno de los luchadores resueltos a ganar la batalla. Dámaso Alonso, con la magnífica versión de las *Soledades* y el estudio sobre *La lengua poética de Góngora,* y Gerardo con la Antología poética en honor del gran cordobés contribuyeron eficazmente a la rehabilitación pretendida. Desde 1927 la poesía "culterana" quedó absuelta de los cargos que hasta entonces se le formulaban.

En la reivindicación de Góngora como valor actual influyó el gusto de los nuevos escritores por una poesía regida por las gracias de la inteligencia, pero tal reivindicación no significó el

---

[28] Hurtado y González Palencia, *Historia de la Literatura española,* ed. 1921, págs. 576 y sig.

retorno (imposible y estéticamente fatal) a la manera gongorina. Ni amaneramiento ni barroquismo en la poesía de entonces (alguna excepción adrede en Alberti y en Gerardo Diego). Simplemente voluntad justiciera, afán de situar a Góngora entre sus pares, "de reincorporarle al sistema de valores históricos" [29], como dijo Dámaso Alonso.

Góngora y Mallarmé, decía antes, como ejemplos de calidad y estilo; no como modelos. El desdén por la literatura, la negativa a transigir con la mediocridad son de estirpe mallarmeana; su heredero español, en cuanto al rigor y la obstinación creadora, se llama Juan Ramón Jiménez, tan distinto por lo demás del autor de *La siesta del fauno*. Mallarmé dijo en cierta ocasión: "Preferiría mejor redactar actas notariales que artículos pergeñados con la intención de ganar algunas monedas de cien sueldos" [30]. Implícitamente tal aserción está en el aire que respiran nuestros poetas; en defecto de actas notariales, preferirán "hacer oposiciones", ganar una cátedra (Diego, Salinas, Guillén, Dámaso) o buscar fuera de las letras un modo de vivir. Manuel Altolaguirre montó una imprenta donde editó obras propias y ajenas. La aversión a la vida bohemia es signo de los tiempos.

INFLUENCIAS MAYORES

Sobre los temperamentos, las influencias —según ya dije— se mezclan en proporción varia y actúan de distinta manera. Por eso me limito a trazar líneas generales y a señalar factores de indudable eficacia en la formación del ambiente de entonces. No pueden ser excluidos los contactos directos con lo extranjero: Guillén en París y en Oxford; Salinas en París, Inglaterra y Estados Unidos; Lorca en Cuba y Nueva York; Ge-

---

[29] Dámaso Alonso, *Ensayos sobre poesía española*, pág. 319.
[30] Henri Mondor, *Vie de Mallarmé*, Gallimard, Paris, pág. 91.

rardo Diego en Filipinas, Francia e Hispanoamérica; Cernuda
en Inglaterra; Dámaso Alonso y Prados un poco en todas partes... Tal vez sea lícito sugerir dos tendencias en el grupo: los
profesores (Salinas, Alonso, Guillén, Diego, en cierta manera
Moreno Villa) de preparación más técnica y sazonada en cuanto
a conocimiento de letras extranjeras, erudición, cultura..., y los
popularistas (Lorca, Prados, Altolaguirre y Alberti) más afinca-
dos en lo popular español. Ambos grupos se influyen mutua-
mente y gracias a tal interinfluencia se opera la fusión.

Estos poetas son los hijos del modernismo. Su filiación se
descubre en la manera de pensar y sentir los problemas españoles. Aparecen inevitables diferencias de matiz, mas en lo sustancial el parentesco ideológico con los predecesores es grande.
Unamuno y Antonio Machado influyen sobre ellos, aunque no
tanto como Juan Ramón Jiménez. (Pero ¡cuánto Machado hay
en el *Libro de poemas* de Lorca!) Antes de la guerra española,
Pedro Salinas los estudió en un curso universitario de cuyos
resultados habló en el discurso al P. E. N. Club, diciembre
1935 [31]; tanto él como Gerardo Diego y Dámaso Alonso han
testimoniado en artículos, ensayos o conferencias, interés y simpatía por la obra de aquéllos.

Aludí antes a la importancia que para los poetas del 25 tuvo
el acceso a la *Revista de Occidente* y a sus ediciones. La influencia personal de Ortega fue considerable, pero no sobre la
creación poética sino respecto al estilo de pensamiento y a la
pulcritud mental con que todos los problemas —y desde luego
los de la creación— debían ser examinados. Ortega emplea con
frecuencia la palabra "rigor". Para la nueva España, para la
España con que soñaba sería necesario hacer las cosas en serio,
pensarlas escrupulosamente. Frivolidad es lo contrario de rigor,
y chabacanería la consecuencia de vivir sin exigencia para con
uno mismo.

---

[31]   Pedro Salinas, "El concepto de generación literaria aplicado a la
del 98", en *Revista de Occidente,* tomo 50, pág. 249.

Señalé la actitud ordenadora y anti-confusionaria de la "generación" del 25. Pues bien, el adalid de esa tendencia, el definidor más certero de la amenazadora chabacanería nacional, de la facilidad y el compadrazgo, es don José Ortega y Gasset, quien en *La deshumanización del arte* y en diversos artículos señaló —con varia fortuna— algunas notas esenciales del arte naciente. Esos trabajos le fueron reprochados como si al escribirlos tratara de imprimir al arte joven un signo determinado. Pero, según él explicó, sus textos no eran recetas, sino diagnósticos, hechos en caliente y sujetos a las rectificaciones que necesariamente impondría la evolución de un movimiento en pleno desarrollo.

El orteguismo fue, sin duda (pese a los tardíos e injustos ataques de Cernuda, buen poeta pero apasionado crítico [32]), una de las influencias que operaron sobre el vanguardismo. Según indiqué, en tanto poetas, Juan Ramón les marca más que Ortega, pero en tanto ciudadanos, sumergidos en "la circunstancia", la obra del segundo tiene valor formativo no superado por ninguna. Enumeraré en seguida alguno de los elementos o sucesos operantes para la constitución del ambiente espiritual de la época, pero los escritos y la presencia de Ortega deben de señalarse primero y con preferencia porque actúan de manera más directa que cualquier otro factor en la actitud ante la realidad española que, de rebote, al provocar nuevas situaciones espirituales, determina sentimientos y creaciones de signo distinto a las compuestas partiendo de posiciones superadas.

Nótese la riqueza de sucesos que da fisonomía a las primeras décadas del siglo: la gran guerra y la revolución bolchevique; el freudismo en psicología; la pintura de Picasso; el cine al servicio del arte y la poesía (Alberti cantará a Buster Keaton); Chaplin; la invención del monólogo interior por James Joyce (cuyo primer traductor español es Dámaso Alonso); el

---

[32] Luis Cernuda, *Estudios sobre poesía española*, Ediciones Guadarrama, Madrid, 1957.

enorme auge del deporte; la gigantesca aventura proustiana (y su traductor en España es Pedro Salinas); Mallarmé (exaltado por Alfonso Reyes) y Valéry (traducido por Guillén); Marinetti y el futurismo, enriquecido en Francia por las experiencias de Apollinaire y Max Jacob (traducidos y comentados por Guillermo de Torre, prosista de la generación del 25); la afición a los toros; el unanimismo de Jules Romains; la arquitectura funcional; el dadaísmo y la secta surrealista; los imaginistas norteamericanos; la poesía de Rilke; Hölderlin (traducido por Cernuda); el amoralismo del Lafcadio, de Gide; el fascismo musoliniano; la irrupción del jazz y la música negra (de visible influencia en *Jacinta la pelirroja* y en *Poeta en Nueva York*), y cien otros fenómenos cuya enumeración sería prolija y sobre prolija, innecesaria[33]. Basten los anotados para recordar la diversidad y dramatismo de la época. Y digo dramatismo porque bajo esa multitud de gestos y tentativas se trasluce el sentimien-

---

[33]   Guillermo de Torre en *La aventura y el orden* (Ed. Losada, páginas 25 y 26) reseña con más detalle el panorama de la época. Anoto aquí los sucesos destacados en su ensayo coincidentes en gran parte con mi selección, hecha sin pensar en la suya, al correr de la pluma, para que el curioso lector pueda compararlas; "el nacimiento de *Dadá;* la revuelta contra la literatura; el ultraísmo; el anhelo de evasión; el nuevo mal del siglo; la crisis del racionalismo; el llamamiento a lo inconsciente y la influencia de Freud; la disociación de la personalidad bajo el influjo de Pirandello, y la atomización y reversibilidad del tiempo bajo Proust; el espíritu internacionalista, condensado en el novecentismo de Bontempelli y la campaña de los *straccittadini* italianos; el expresionismo germánico con la tendencia hacia la *neue Salichkeit* —desdoblada luego en el espíritu documental y de crítica social que alcanza hasta la *nachkrieg* o pululación de novelas de guerra—; la orientación neotomista; las conversiones, la nostalgia medievalista y los reclamos de un orden católico; el europeísmo, la corriente internacionalista y viajera que diputa como nueva musa a la Geografía; la aparición de un nuevo romanticismo en los últimos rasgos superrealistas; el auge de Valéry y del monólogo interior joyciano; el culto del cuerpo y la literaturización del deporte; el espíritu de proselitismo político-social insuflado en las letras...".

to de angustia existencial que, proclamado por Kierkegaard tiempo atrás, era expresado en España con poética violencia por don Miguel de Unamuno.

El artista de 1925 —fecha de aparición de *Las literaturas europeas de vanguardia* de Guillermo de Torre, donde se constata la existencia del vasto impulso renovador en las letras de Europa— ha perdido confianza en sí y en su mundo. Vive en difícil e ingrato equilibrio, transido de dudas respecto a las posibilidades de crear algo de valor permanente. En desacuerdo con el público, el artista se niega a elaborar productos de fácil salida comercial; se niega a adormecerle repitiendo fórmulas caducadas que no responden a las necesidades del alma y de la inteligencia. Hay dos caminos: ponerse de acuerdo con el público y procurar satisfacerle siguiendo modelos aceptados, o combatir, lo que significa renunciar a ese público ya hecho e intentar el hallazgo de un nuevo tipo de lector.

LA INVENCIÓN DE UN PÚBLICO

Los poetas del 25 optaron por la segunda solución; prefirieron ser impopulares ante el público entonces vigente, el público de Gabriel y Galán y —en casos avanzados— de Rubén. Siguieron también en esto el ejemplo de Juan Ramón Jiménez y Miguel de Unamuno. Por primera vez en este país un núcleo de artistas adoptó frente al medio una actitud de repulsa orgánica y coherente. Los ultraístas habían señalado el camino. Creacionismo de Larrea y Diego, *Odas* de Lorca, poemillas de Dámaso y *Presagios* de Salinas, la clara poesía de Jorge Guillén y Cernuda, canciones de Prados, ángeles de Alberti y surrealismo de Aleixandre, nacen sin conexión con los sentimientos y opiniones del público de entonces. Era, sencillamente, como quería D. H. Lawrence, un arte para el hombre.

El llamado divorcio del arte y la vida es una hipótesis forjada por la pereza y el espíritu de partido. ¿Desligados de la

vida Lorca, Salinas, Villalón? ¿Desligado de la vida un libro
como *Cántico*, pura exaltación de ella? ¿Alberti, Diego, Prados? ¿Cómo olvidar, entre otros datos, la fuerza de la veta popularista, la entrañable raigambre de tantos poemas? No hay
tal divorcio. Ni arte deshumanizado. Por henchida de alma e
inteligencia, la poesía del 25 resultó, en principio, ardua de entender a quienes valoraban la creación artística según el grado
de vulgaridad, creyéndola más estimable cuanto más cercana a
lo ya visto y oído, al sentimiento usado y el oropel decaído,
muestras, claro, de lo humano, de lo deleznable humano.

El público seguía donde siempre; en la indiferencia acostumbrada; más cerca, tal vez, de los simuladores que de los
poetas. Pues el simulador escribe para engañar y los artistas
crean por necesidad personalísima. Las mecanógrafas, las deli-
ciosas mecanógrafas ¿echaban de menos a la poesía? Ya lo dijo
un precursor: ellas son poesía. Pero ilustres varones pidieron
con harta incongruencia que se las sirviera algún averiado resto
de pasadas futilidades. (¿Por qué ofender así a tan encantador
gremio?) Los poetas líricos, nunca muy cortejados, parecían más
solos que antaño. Parecían, digo. Y al desdén, con el desdén.
La barbarie del especialismo denunciada por Ortega tiene algo
que ver con esto. ¿Cómo podrían el eminente arquitecto o el
ilustre cirujano, tonantes en olimpos de científica maestría, con-
fesar que su espíritu funcionaba en retórica y poética con re-
traso de medio siglo? (¡Aquel *Vértigo* y aquella *Oriental*, apren-
didos en el Instituto y todavía recordados de memoria sí que
eran poesía!) Era más natural tachar de mistificación la obra
no comprendida, y a ese recurso se acogieron algunos "intelectuales" ibéricos.

La incomprensión entre poeta y público afianzó los lazos
existentes entre creadores, y estos se constituyeron en auditorio
de sus pares, dando lugar a que algunas obras parecieran escritas para poetas, inteligibles para quienes participan de las intenciones y sentimientos del creador, conocen sus secretos y
estudian su técnica con gusto e interés profesional, y oscuras

para los no iniciados. Conflictos semejantes se producen parale-
lamente en las artes plásticas, en la novela e incluso en el teatro.
La ruptura entre el poeta y el público no se debe al hermetismo
de aquél, pues en muchos casos —canciones de Alberti, romances de Lorca, versos "humanos" de Diego, poemas primeros en
Salinas— por torpe desidia mental rechazaron los lectores obras
transparentes.

La poesía lírica es el género de creación artística más capaz
de ignorar la hostilidad del ambiente. Destinada a un público
restringido, diluido en tiempo y espacio, no necesita alientos
mayoritarios; por eso puede mantenerse con independencia y
evolucionar según las leyes y los deseos de cada poeta. Merced
a esta libertad de evolución y desarrollo podemos ahora con-
templar las espléndidas realizaciones del grupo poético de 1925
con la seguridad de que ahí ha cuajado uno de los felices momentos de la poesía española. Y gracias a ellas, al público inventado por y para ellas desde el modernismo acá, tiene la lírica
en este país el lector discreto que merece.

La vida llevó a estos poetas por distintos caminos. A varios
—Lorca, Diego, Alberti— les incitó a la diversidad. A otros
—Guillén, Salinas, Cernuda, Aleixandre— les hizo evolucionar
lentamente. A Dámaso Alonso le impuso un cambio brusco, inesperado; un cambio total que hizo ver que un poeta distinto
nacía en el corazón todavía joven. Es del todo imposible compendiar en unas líneas los avatares experimentados por estas
personalidades que, salvo García Lorca, Salinas y Villalón, se
encuentran en activa y fecunda madurez creadora. Cada cual ha
seguido su propio proceso evolutivo y el análisis de estos pro-
cesos debe hacerse por separado.

LA GENERACIÓN DE 1936

I

En varias ocasiones he precisado con cuánta cautela debe manejarse el concepto de generación literaria. El tal concepto no es clave para resolver problemas de historiografía literaria, sino instrumento (no muy preciso) para fijar posiciones y establecer relaciones entre los escritores de una época. Sin perder de vista esta limitación me decido a hablar de una generación española de 1936, así llamada por la fecha del acontecimiento desgarrador y cruel de nuestra guerra civil, que no sólo dio nombre a la generación, sino la marcó al fuego: algunos de sus hombres murieron en ella, otros sufrieron prisión, no pocos vivieron o viven en el destierro.

¿Puede hablarse, aun con toda suerte de cautelas, de una generación del 36? Si entráramos en el análisis de las condiciones exigidas por Petersen y las entendiéramos con rigidez, la respuesta no sería afirmativa, pero no parece difícil delimitar el concepto partiendo de otros supuestos e incluso admitiendo con la adecuada flexibilidad los del profesor alemán. Punto de arranque del estudio (crónica y no crítica) puede ser la unidad relativa con que aparece en las letras españolas el grupo de escritores nacido entre 1906 y 1914, es decir, el de quienes nacieron en los años anteriores a la primera guerra europea y a quienes tocó sufrir la guerra civil de nuestra patria. Por debajo de evidentes diferencias, disparidades inocultables y el hecho de haber tomado parte en la contienda desde contrario bando, las gentes del 36 tienen mucho en común, y se parecen entre sí más de lo que pueden parecerse a los integrantes de grupos o generaciones anteriores, aunque tengan con ellos parentescos y semejanzas. El hecho generacional y paradójicamente aglutinador es la guerra civil que dura desde julio de 1936 hasta abril de 1939. Este hecho tremendo, desgarrador y cruel marcó a los miembros de la supuesta generación, pues lo padecieron directamente y desde cerca: algunos murieron; otros sufrieron prisión y no pocos vivieron o viven en el destierro.

A diferencia de quienes más adelantados en años y escepticismo se situaron a distancia prudente de los acontecimientos bélicos, los más jóvenes los vivieron de cerca y parte fueron actores de ellos. Como consecuencia de la dispersión originada por la guerra misma, la generación puede parecer dividida en dos bandos. Es una ilusión óptica, y, en realidad, si la separación existe en cuanto a distancia, no se da, salvo excepciones, en las actitudes.

El destino de esta "generación" fue duro, pero es injusto imputarle culpas que no son suyas y cargar en su debe la pulverización de su entraña generacional, la dispersión y el desastre. Quizá como generación esté liquidada; probablemente el futuro no le reserva ninguna posibilidad de acción eficaz en lo político o de influencia real sobre el país, pero es mejor abstenerse de cualquier vaticinio a este respecto, que habría de ser, por lo menos, aventurado.

Veamos cuáles han podido ser las debilidades de esta promoción y anotemos, con objetividad, los factores positivos de su comportamiento.

Es cierto que la mayoría de los componentes de ella se encontraron en algún momento desconectados de su pueblo. Pero el reproche sería demasiado vago y aplicable en iguales términos a "la generación" de 1925. Si quiere decirse distanciamiento de la clase obrera y sus problemas, es preciso aceptar la realidad de esa separación. Los problemas se plantearon en el orden intelectual y espiritual, a relativa distancia de la realidad tangible, y esto llevó a la mayoría a una especie de idealismo sentimental, inoperante sobre el cuerpo de la nación y con poco futuro a la vista.

Hubo entre estos hombres algunos idealistas candorosos, y esto es más exacto afirmarlo con relación al año 36 que al presente. Era tal vez inevitable que unos pocos desembocaran en el cinismo o en el oportunismo, por la vía del escepticismo, pero en general se han defendido bien.

La tibieza política —el escepticismo— es hoy uno de los signos predominantes. ¿Es justo reprochársela? Tras la dura experiencia de la guerra, no es extraño que una ola de cansancio, aversión y hastío hacia la política y lo político alcanzara a los mejores y les inclinara a una actitud escéptica, de personas que están de vuelta tras recibir una lección severa e inolvidable.

Pues no siempre fueron así. En su juventud fueron entusiastas y esperanzados, creyeron en una reconstrucción de la patria por la paz y el trabajo, y lucharon por ella. Pero la guerra civil aventó fieramente sus sueños, inclinándoles a una tibieza en que flotaron desanimados. Como consecuencia de esa tibieza la "generación" resulta, a estas alturas, demasiado sensata, y su sensatez se revela en una característica muy elogiable: el deseo de conciliación entre los españoles. Naturalmente, conciliación implica, en este caso, reconciliación y cesación del estado de pugna.

Lo más estimable, creo yo, de esta promoción ha sido la decisión de recusar la división de los españoles en "vencedores y vencidos", trazada, con voluntad de perpetuarla, por elementos de uno y otro grupo. Esta división tenía que ser superada para que los intelectuales y el país entero volvieran a sentirse unidos y a recuperar la fe en el futuro de España.

La "generación" soportó bien la prueba de la guerra, pero en la paz se replegó a posiciones egoístas. No sé si fue tanto cautela como escarmiento y temor de encontrarse sola; sus miembros olvidaron con facilidad su deber de orientadores y su obligación como testigos. El intelectual es, o debe ser, la conciencia de su pueblo, y una conciencia ha de ser crítica y no complaciente. La nuestra ha sido una generación demasiado seria, en la vida y en la obra. E inicialmente no era así, sino vital, jubilosa, anhelante de participar y de comunicar. Reprocharle su actual falta de alegría es haber olvidado el roer de los años y desconocer las condiciones del mundo en que nos ha tocado vivir, pues si miramos al exterior, si miramos a las generaciones coetáneas de Europa y América, las hallaremos con menos capacidad de alegría, y no más confiadas en el futuro. El exceso de seriedad y de sensatez está en relación directa con los problemas a que se siente convocada y con su incapacidad verdadera o presunta para resolverlos y hasta para intentar resolverlos.

La juventud de esta generación fue la guerra y al llegar a la madurez sintió la impresión de haber sido privada de sus años mejores. Quizá siempre ocurre lo mismo, pero los hombres del 36 tienen la sensación de que por algún increíble juego del destino les fue escamoteada la juventud cuando más entusiásticamente la vivían. Se preguntan con ingenuidad excesiva cuál es la razón de que burla tal se consumara contra ellos. Sensatez, cautela, afán de exactitud y de rigor, dar a cada uno lo suyo, no hacer daño a nadie... y, entre tanto, sin ruido, con pasos de fieltro, la juventud escapaba irremisiblemente. Sí; es una vieja historia.

La generación de 1936 en su mayoría está integrada por personas decentes. No se sabe que hayan cometido villanías, ni siquiera actos de aquella divertida picaresca, antaño nota distintiva del escritor. No hubo por su parte condenaciones ni repulsas de las promociones anteriores, ataques virulentos, reacciones injustas contra nadie. Ha observado la vida alrededor suyo con amor y algunos con fe. Frente a la indiferencia religiosa de las generaciones precedentes, algunos integrantes de ésta son creyentes y católicos.

La generación de 1936 no puede ser considerada "de derechas" ni "de izquierdas", según las clasificaciones tanto tiempo predominantes. Es una generación moderada, tolerante y comprensiva, enemiga de convencionalismos y banderías. De ella no podría decirse con justicia que haya contribuido a ensanchar la división existente entre los españoles. Creyentes o incrédulos propugnan, con raras excepciones, la concordia y la tolerancia. No serán ellos, creo, quienes enciendan hogueras donde quemar las obras del adversario, y menos al adversario.

Son patriotas, como los modernistas y los posmodernistas, y aman a España, desde cerca o desde lejos, con pasión de justicia y verdad que les aleja del conformismo. No, no son conformistas, pues conformismo es sumisión a ideas, normas y condiciones de vida y pensamiento recibidas de una tradición que se desea mantener sin someterla a discusión y análisis.

Literariamente, sin aceptar en su totalidad las actitudes (y menos las fórmulas) de los escritores precedentes, no son revolucionarios, ni innovadores, al modo como lo fueron los vanguardistas. Hacia 1935 los ismos estaban perdiendo vigencia. Toda una época de experimentación y aventura quedaba provisionalmente clausurada, en espera de que volviera a abrirse cediendo a nuevos impulsos y distintas oscilaciones del péndulo.

Llegado a este punto considero conveniente señalar los nombres de quienes, a mi juicio, figuran en la generación de 1936. No entro en materia sin antes haber reflexionado sobre el criterio más adecuado para redactar la nómina de quienes la constituyen, advirtiendo desde luego que queda abierta a eventuales rectificaciones; después de algunas vacilaciones he optado por aceptar una norma algo ambigua, pero bastante clara, que tiene en cuenta simultáneamente la edad, la dedicación a la literatura en la fecha (1936) señalada como definitoria de la generación, la convivencia, la publicación en las mismas revistas, colecciones literarias, diarios y otras publicaciones, y la participación en las experiencias de la época desde los mismos círculos de acción.

Los poetas de la generación, según esta norma, serían: Miguel Hernández, Luis Rosales, Leopoldo y Juan Panero, Luis Felipe Vivanco, Ildefonso-Manuel Gil, Germán Bleiberg, José Antonio Muñoz Rojas, José María Luelmo, Pedro Pérez Clotet, Rafael Duyos, Gabriel Celaya, Arturo Serrano Plaja y Juan Gil Albert. En el grupo de prosistas figurarían: Enrique Azcoaga, José Antonio Maravall, Antonio Sánchez Barbudo, Ramón Faraldo, Eusebio García Luengo, María Zambrano, Antonio Rodríguez Moñino, José Ferrater Mora y yo mismo.

A este núcleo central de la generación es preciso añadir los nombres de quienes se incorporan a ella durante la guerra civil, o inmediatamente después de acabar ésta, y que desde antes puede decirse que figuraban idealmente junto a los ya dichos: Dionisio Ridruejo, José Luis Cano, Ramón de Garciasol, Pedro Laín Entralgo, Juan López Morillas, José Luis Aranguren, Francisco Yndurain, Julián Marías, Segundo Serrano Poncela, José Antonio Gaya Nuño, José Suárez Carreño, Jorge Campos, Ernesto G. da Cal y José Manuel Blecua. Hay escritores de incorporación más tardía, pero a quienes no sería abusivo incluir entre los recién citados: ejemplos, Concha Zardoya, Juan Ruiz Peña, Luis Monguió, Carlos Clavería y Antonio Rodríguez Huéscar.

Me hago cargo de que faltan nombres. Algunos son de gente desviada de la literatura hacia la política, el cine, el periodismo u otros sucedáneos más o menos nutritivos. El tiempo dirá quiénes, entre los mencionados, constituyen el grupo que ha de perdurar, y se me excusará que no tome a mi cargo el arriesgado papel de profeta. Si alguna omisión importante se advierte, acháquese a olvido y no a prejuicio.

Como advertirá el lector discreto he procurado redactar esta relación del modo más completo, comprensivo y objetivo posible. Y bastará repasarla para darse cuenta de que la generación del 36 está integrada por escritores importantes, algunos de los cuales con obra valiosa. Entre los poetas hay dos o tres que resisten la comparación con los de la generación de 1925. Entre los prosistas cuenta igualmente con nombres de primer orden. Valdría la pena redactar una bibliografía de lo escrito por estos hombres, para mostrar, sin más alegato, la calidad de su aportación a las letras de lengua española.

Y no podré contar los orígenes de esta generación sin incrustar en el relato recuerdos personales. Es inevitable: esta generación es la mía, conozco y he tratado a todos sus componentes y algunos son amigos entrañables con quienes compartí horas de alegría y tiempos de pesadumbre. No creo, por otra parte, que la intromisión de lo personal pueda en este caso dañar la crónica; al contrario: el testimonio acaso le dé un interés documental que haga más curiosa la exposición.

La generación del 36 no surgió armada de todas armas. Parodiando una cita muy recordada diré que "empezó por no existir". Muchachos aislados rompían tímidamente el fuego en distintos lugares. Tímidamente, digo, siquiera esa timidez se disfrazase a veces de osadía. En mi tierra leonesa, tan atrás como 1928, publicamos Juan y Leopoldo Panero, Luis Alonso Luengo y yo, con otros amigos luego perdidos para la literatura (uno de ellos muerto en la guerra), cierta revistilla adolescente titulada *Humo,* acaso la primera en donde apareció uno de los grupos que, reunidos, iban a constituir la nueva promoción. (A ese grupo Gerardo Diego le llamó luego Escuela de Astorga.)

Algo por el estilo, un poco después, ocurrió en diversas ciudades, y antes de 1930 se agitaban en Madrid los jóvenes más inquietos, los impacientes por dar de sí algo de lo que llevaban dentro. Nuevas relaciones, nuevas amistades se formaron, respondiendo a estímulos y simpatías más hondas que las del pai-

sanaje. La Universidad, el Ateneo, la Academia de Jurispruden-
cia, los Cafés, y en algunos casos la redacción de diarios y revistas eran los puntos de reunión.

La lucha contra la Dictadura de Primo de Rivera, y más
adelante la agitación política contra el gobierno del general Be-
renguer; las actividades de la FUE; el destierro de Unamuno;
la renuncia a sus cátedras por los profesores Jiménez Asúa, de
los Ríos, Sánchez Román y Valdecasas; la fundación de la
Agrupación al Servicio de la República por Marañón, Ortega y
Pérez de Ayala; la proclamación de la República en 1931, sirvieron de fondo a la actividad generacional. En la Universidad
se vivían la política y la literatura.

Allí (y no en la Facultad de Letras, sino en la de Derecho)
cristalizó un grupo, que sin demora cumplió el acto ritual: publicar una revista. José Antonio Maravall, Leopoldo Panero,
José Ramón Santeiro y Manuel Díaz Berrio la editaron, po-
niéndole un rótulo sencillo y ambicioso: *Nueva Revista*. Resultó una secuela del "vanguardismo", escrita con pulcritud y mo-
deración, pero no tan "nueva" como se daba a entender en el
título. Era inevitable: la obra y el prestigio de los escritores
del 25 estaban en período ascendente y no parecía posible sus-
traerse a su influencia. En aquella época Rafael Alberti aún
aludía desdeñosamente a los poetas "que escriben versos a la
novia", y Luis Rosales medio se sorprendía, medio se abochor-
naba al oírle, pensando en cuántos de ese tipo él llevaba en el
bolsillo. Los chicos de *Nueva Revista* eran inteligentes y pre-
parados. Orteguianos y nutridos en poesía por la mejor del momento, dieron a la publicación un tono peculiar, serio y maduro.

En 1930 Ildefonso Manuel Gil y yo, con otros menos jóvenes y de orientación diferente, lanzamos *Brújula,* de la que sa-
lieron cuatro números. Lo heterogéneo del equipo y las dis-
crepancias entre los redactores hicieron inevitable la dispersión.
Poco después Gil y yo editamos el más fugaz de los papeles li-

terarios, *Boletín Último*, del cual salió un solo número y tuvo un solo suscriptor: Juan Ramón Jiménez.

En provincias se produjo un ininterrumpido nacer-morir de grupos y revistas. Entre las más atractivas, *Murta*, en Valencia, con Rafael Duyos y Ramón Faraldo (que todavía usaba su primer apellido: Descalzo); *Isla*, en Cádiz, dirigida por Pedro Pérez Clotet, que editó también una atractiva serie de libritos poéticos; *Atalaya*, en Navarra, con los hermanos Alfonso y Francisco Rodríguez Aldave; *Ddooss*, en Valladolid, con José María Luelmo y Francisco Pina; más tarde, *Agora*, en Albacete, dirigida por José S. Serna.

En 1935 apareció en Madrid *Hoja literaria* y con ella el trío impetuoso y entusiasta integrado por Enrique Azcoaga, Antonio Sánchez Barbudo y Arturo Serrano Plaja. Más políticos y menos cautelosos, aportaron marcado acento polémico al lenguaje y a la actitud generacionales. Y en 1935, también, se dio a conocer Gabriel Celaya con *Marea del silencio*, su primer libro, no firmado con el pseudónimo que le ha hecho famoso, sino con su verdadero nombre: Rafael Múgica.

Miguel Hernández, "el prodigioso muchacho de Orihuela", había iniciado su carrera bajo auspicios casi fabulosos. Sus poesías y su auto sacramental *Quien te ha visto y quien te ve o sombra de lo que fuiste* aparecieron, respectivamente, en *Revista de Occidente* y *Cruz y Raya*. Ortega supo de él; Bergamín le editó; Juan Ramón le dedicó en *El Sol* líneas entusiastas; los poetas del grupo del 25 —Lorca, Aleixandre, Alberti— fueron sus amigos y le animaron.

Los del 36 llegaban pisándoles los talones a los "vanguardistas", y como la diferencia de edad no era grande, ni divergentes las intenciones y los supuestos de que partían, la soldadura intergeneracional se produjo con facilidad. Los jóvenes aceptaron sin reparo a los maduros. Es decir: la obra, no el magisterio. Ni Miguel Hernández, ni Luis Rosales, ni los Panero se sentían meros continuadores, aunque aceptaran y reconocieran el talento de quienes les precedieran. La mejor manera de "continuarlos" consistiría en ser fieles a su personal manera de sentir la poesía y de abordar la creación artística.

Admiración no quita lucidez, y Leopoldo Panero, que sabía de memoria el primer *Cántico* de Jorge Guillén, ni era, ni quería, ni podía ser, en su lírica, un discípulo. Guilleniano en el fervor, no se dejó arrastrar por la admiración a la imitación, que le hubiera extraviado y tal vez destruido. Más tarde llegaron los epígonos, pero ¿a quién puede interesar la laboriosa secreción de los repetidores? Sobrevivieron, ¿cómo no?, lorquianos de percalina, surrealistas de pega, aleixandrinos baratos, guillenianos sin alegría vital... ¡Bah!

En 1934 publicamos Ildefonso Manuel Gil y yo *Literatura*. El título implicaba una toma de posición frente a ciertas ideas de la generación precedente. Gerardo Diego, portavoz de ella, había extremado la oposición entre poesía y literatura, condenando a cuanto apareciera contaminado de esta última. La condena nos pareció desmesurada y esterilizante. Bajo pretexto de pureza podía situarse "en el campo raso, mezclado, turbio de la literatura" nada menos que la ambigua, revuelta e impura mezcolanza que es la vida.

Literatura fue punto de cita de las dos generaciones, y la intención de no encerrarnos en un círculo demasiado angosto, no sólo quedó manifiesta en la atención prestada a lo extranjero (Max Jacob y Louis Parrot fueron colaboradores de la revista), sino en la reseña y crítica de obras escritas por quienes sistemáticamente solían quedar al margen del comentario, como Ramón J. Sender y José María Pemán, ambos pertenecientes a la constelación de los llamados por mí "extravagantes", respecto al núcleo central de la "generación" de 1925.

Pronto aparecieron las ediciones de la revista bajo la rúbrica *P. E. N. Colección;* algunos leyeron *Pen*, y tradujeron por Colección la Pluma. No quería decir eso, sino *Poetas. Ensayistas. Novelistas;* tratábamos de eliminar el predominio, casi exclusivismo de los poetas, por considerar igualmente legítimo y merecedor de aliento el esfuerzo de los prosistas. En las colecciones de libros editadas por los "vanguardistas" (*Litoral, Mediodía*) predominaron siempre los poetas; en la nuestra optamos por la paridad de derechos, y los dos primeros volúmenes fueron narraciones en prosa, uno de ellos el fragante *San Alejo,* de Benjamín Jarnés. Gracias a esa tendencia pudieron incluirse en la serie libros tan notables como las *Meditaciones políticas* de Ángel Sánchez Rivero, el buen crítico, injustamente olvidado, y el primer libro de José Ferrater Mora.

La generación del 25 y la del 36 habían enlazado y estaban en contacto de diferentes maneras y por distintas vías. Leopoldo Panero y Maravall colaboraban en *El Sol;* Ildefonso Manuel Gil y Enrique Azcoaga en *Luz;* Vivanco, Rosales y Muñoz Rojas en *Cruz y Raya;* Germán Bleiberg, Hernández, Maravall y yo colaboramos en la *Revista de Occidente.* Lo uno no excluía lo otro, naturalmente, y en principio todos podían escribir en esas y otras publicaciones. Los escritores de la vanguardia se mostraron cordiales y generosos con los jóvenes: Guillermo de Torre les llevó a las páginas literarias de *Diario de Madrid,* y, más tarde, a las revistas americanas; José Bergamín les acogió en *Cruz y Raya* y editó *Abril,* de Luis Rosales; Fernando Vela aceptó a los recién llegados en la *Revista de Occidente* y en los diarios a su cargo; Manuel Altolaguirre publicó en la preciosa *Colección Héroe* los primeros libros de Juan Panero, Luis Felipe Vivanco y Germán Bleiberg; Pedro Salinas, desde la cátedra y en privado, se mostró amigo tanto como maestro, y al publicarse *La voz a ti debida* los discípulos le pagaron en buena moneda.

La Facultad de Letras fue otro foco de irradiación generacional, algo más tardío. ¡Qué Facultad! Allí estaban Ortega, Morente, Zubiri, Montesinos, Salinas... Y entre los discípulos, con varios de los citados, María Zambrano, Antonio Rodríguez Huéscar, Julián Marías... La Revista de la Facultad no cedía en calidad a cualquiera de las mencionadas.

En cuanto a tertulias, las había dondequiera: Ateneo, cafés, casas particulares. Los domingos por la tarde, en casa de María Zambrano; casi a diario, al atardecer también, en la del afable Benjamín Jarnés. Ya en vísperas de la guerra se juntaba en el *Lyon* una nutrida peña juvenil. Afinidades y diferencias determinaban agrupaciones y reagrupaciones, así como el acercamiento a los maestros.

Hacia 1930, unos cuantos conocimos y sentimos el encanto de Eugenio d'Ors, maestro admirable; él, entre otras cosas, nos reveló los secretos del arte moderno. En el erial que era la crítica de arte española, el ingenio y la pasión orsiana —pasión meditabunda— resultaban inverosímiles. Rompió la costra de hirsuto celtiberismo de los academizantes y trazó el mapa de las corrientes estéticas modernas. Su *Cézanne*, sus glosas sobre problemas de estética pasaban de mano en mano, y en ellas aprendíamos a reconocer las gracias y primores negados por los castizos.

Unamuno se dejaba oir, incansable, alto ejemplo de independencia frente a todo. No era tan sólo el heterodoxo de las ortodoxias, sino el heterodoxo de la heterodoxia, negador de los conformismos y de los anticonformismos que postulaban a la postre una conformidad no menos rígida: conformismos al revés. Si la de Ortega era, ante todo, una llamada al orden, a la disciplina y al rigor, Unamuno incitaba a la rebeldía, a la adopción de una actitud insumisa contra las presiones exteriores, vinieran de donde vinieran, contra todas las tentativas de regimentación. Lo uno y lo otro: la disciplina —interior— y la insumisión eran necesarias para mantener la libertad espiritual y las otras. El regreso de don Miguel a España, en 1930, y la acogida fervorosa que se le tributó fue, sin duda, uno de los instantes de exaltación y coincidencia generacional.

Con todo, la influencia de Ortega me parece mayor. La generación del 36 está empapada de orteguismo: como discípulos suyos se reconocen María Zambrano, Rodríguez Huéscar, Marías, Pedro Laín... y no muy alejados José Luis Aranguren y José Ferrater Mora. Ortega fue el más escuchado de los maestros. Lo leíamos en el periódico, cada mañana; lo leíamos en los libros, esperados con ansia. Tal vez nunca otro escritor de nuestra lengua haya contado, en España y fuera de ella, con tanta admiración razonada, ni haya influido sobre los jóvenes como influyó Ortega, hasta 1936.

Atraía, incluso, cuando se discrepaba de su opinión. Por ejemplo, cuando pretendía que Debussy era músico más "selecto" que Beethoven. A veces se aceptaba de sus planteamientos lo que podía ser útil, y hasta leyéndole mal le comprendíamos bien. *La deshumanización del arte* no fue para los jóvenes, como suponen algunos apresurados, un breviario de desinterés por la vida. La generación del 36 aceptó de ese libro lo que tenía de diagnóstico de una tendencia, pero ni lo utilizó como guía para la creación, ni siquiera creyó que la palabra "deshumanización", aplicada a esa tendencia, fuera exacta. Pero, sobre éstas y otras divergencias, ¡cuántas ideas orteguianas asimiladas!, ¡cuántas actitudes y cuántas técnicas de trabajo incorporadas!

En los primeros tiempos, la generación del 36, tan errabunda luego, salió de España menos que la anterior; en cambio, no conoció peor los caminos de la patria. Con las *Misiones pedagógicas,* creadas por don Fernando de los Ríos para difundir la cultura por pueblos y aldeas hasta entonces olvidados; con *La Barraca,* el teatro ambulante dirigido por Federico García Lorca, que llevó a rincones remotos los *Entremeses* de Cervantes y el auto sacramental de *La vida es sueño,* entre otras obras, muchachos de veinte a veinticinco años —Azcoaga, Eugenio Mediano Flores, Ernesto G. da Cal— entraron en contacto con el pueblo español.

Otros lo hicieron viajando solos o en grupo por tierras diversas. En el verano de 1934 Maravall, Gil y yo recorrimos a pie la ruta del Cid, enlazando así con los modernistas y la llamada generación de 1898. En ese viaje, lleno de incidencias peregrinas que no es del caso narrar aquí, tres españoles nacidos extramuros de Castilla coincidimos en apasionada admiración por lo esencial castellano. Testimonio de ella quedó en el ensayo del valenciano Maravall, *Castilla o la moral de la creación*, publicado poco después en la *Revista de Occidente*.

Los viajes posteriores de Camilo José Cela —quizá el más joven de los hombres del 36 y el último en incorporarse a la oleada generacional— están en la misma línea anhelante de conocimiento, dictados por el deseo de saber cómo son quienes de verdad hacen la patria en el trabajo cotidiano, cómo son los que Unamuno llamaba los silenciosos de la intrahistoria.

El primero de la generación en alcanzar reconocimiento total había sido Miguel Hernández, pero por la rapidez y amplitud del éxito se le vio incorporado a los grupos anteriores y actuando en y con ellos, como una especie de hermano menor. *Abril*, de Luis Rosales, pareció cosa distinta. La voz sonaba de otra manera y los versos respondían a inesperados patronazgos: al de Fernando de Herrera, por ejemplo. Hastiado por los excesos formalistas y escapistas de la postguerra, al lector actual le costará trabajo entender lo que en su momento significó ese libro. Vía Bleiberg-Ridruejo, en quienes influyó directamente, de él salió lo más valioso del garcilasismo ulterior.

El café Lyon y el grupo Rosales, Vivanco, Panero sirvieron de puente entre el 36 y el 39. La del Lyon fue la única entre las tertulias literarias juveniles anteriores a la guerra que revivió, transformada, al acabar la contienda. En su segunda etapa la frecuentaron, con los supervivientes, José Suárez Carreño, Gerardo Diego y José María de Cossío. Pronto se fundió con la peña de don Manuel Machado, y de ahí vino la reunión de tres generaciones y la relación con tipos tan curiosos como el gran actor don Ricardo Calvo y el poeta don Antonio de Zayas.

La simpatía y la cordialidad de don Manuel, mezcla de lo sevillano mejor y de lo madrileño más distinguido —dentro de lo popular— sirvió de aglutinante. No recuerdo si fue suya, o de Cossío, la idea de establecer una academia literaria al estilo de las existentes en los siglos XVII y XVIII. Pensaron que en el hosco Madrid de 1940 sería saludable acortar distancias entre escritores y habituarles a la convivencia, devolviendo a los cofrades de la pluma algo de la camaradería perdida.

Eduardo Llosent y Marañón, director del Museo de Arte moderno, ofreció su despacho para que se celebraran en él las sesiones de la academia, bautizada, tras algunas discusiones, con el nombre de _Musa, musae._ Esta invocación a las improbables, etéreas presencias, tenía sentido. Nada grandilocuente, nada alusivo a lo espacial ni a lo temporal hubiera convenido para titular la cofradía; se trataba, precisamente, de sugerir un ámbito libre de cualquier vinculación con la circunstancia.

En una de las sesiones ocurrió algo importante, desde el punto de vista generacional. Cierta tarde, en la saleta del Museo, irrumpió la voz grave y viril de Leopoldo Panero, para decir en lentos versos apasionados un canto de amor. Los presentes, unas cuarenta personas, quedaron desde el primer momento subyugados por la fuerza, sinceridad, hermosura de aquellas palabras. La concurrencia sintió en seguida que algo grande acontecía ante sus ojos. Hasta empezar la lectura, Panero era, para la mayoría de los reunidos, un muchacho simpático "que hacía versos"; al acabarla —tras largos segundos de silencio que indicaron la profundidad de la emoción y la sorpresa— era, para todos, un poeta.

Este momento, tardío en relación con los reveladores de Miguel Hernández y Luis Rosales, queda próximo al estallido de _La familia de Pascual Duarte,_ con que Camilo José Cela rompió las barreras del novelar discreto y entró en la literatura por la puerta grande. La revelación de Leopoldo me hizo pensar por "cerebración inconsciente" y pese a tantas obvias diferencias de lugar y de época, en la de Zorrilla al pie de la tumba de Larra. Aquí, la tumba sería la de Miguel, en Alicante.

Miguel, el malogrado, pero no tanto, en vida y muerte, como Juan Panero, cuyo don poético, lejos de precoz, maduró lentamente y apenas empezaba a dar fruto cuando pereció, víctima de un accidente estúpido, en una carretera leonesa, a poca distancia del hogar. Juan vivió exaltadamente, entregándose sin reserva a la vida; se perdió en muchas cosas, pero se encontró en amor y en poesía. Dejaba el escribir para más tarde, para después de gozar las delicias en que se sumergía. Todo vendría en su momento: allí estaban la ternura y la gracia, el sentimiento y la aptitud para expresarlo en palabras. Cuantos le conocían confiaban en él y en lo futuro: aquella vida tensa acabaría cuajando en una obra colmada de riqueza. Pero la muerte no le dio tiempo. Cayó sobre él a paso de carga, y se lo llevó, dejando apenas una muestra de lo que era capaz de hacer.

Murió en plena guerra civil. Esa guerra que separó y unió para siempre a los hombres de la generación del 36: les hizo actores donde otros no pasaron de espectadores. La postguerra les vio luchando otra vez, luchando acá y allá por salvarse, y salvándose individualmente. Como generación, podría decírseles lo que Gertrude Stein a Hemingway: son una generación perdida. Como grupo, padeció de ineficacia y conciencia de inferioridad. Quizá por eso nos une esa extraña solidaridad que (por encima de los logros personales) pudiéramos llamar la solidaridad del fracaso.

EL RAYO DE MIGUEL

En el siglo XVI el poeta-guerrero caía en campo abierto, ante la mirada del emperador, combatiendo a enemigos desembozados. Caía, y su muerte era llorada como inesquivable fatalidad: Garcilaso murió para cumplir su destino de héroe y la muerte le abrió las puertas de la gloria, antes de que el tiempo pudiera deteriorar su juvenil figura. Pero el siglo XX está cansado del poeta (y tal vez del héroe: un *robot* puede hacer sus veces con ventaja). Dramático contraste entre el destino del poeta en el pasado y en la actualidad. Las modernas burocracias son hostiles al heroísmo y se esfuerzan en desalentarlo y en desacreditarlo. Se creen victoriosas, y quizá en última instancia lo serán. Si dudo de que así sea es porque el poeta revive y sobrevive, incorruptible testigo de su tiempo, y su obra permanece como experiencia creativa que nada podrá corroer. Así nacen los mitos, y los mitos son invulnerables. Constataciones triviales, bien lo sé, pero que es necesario recordar con cierta periodicidad; a fuerza de repetirlas solemos relegarlas a la trastera de los lugares comunes y olvidarnos de la rigurosa verdad que encarnan. El mito es incontenible, y bien podemos verlo en el caso de Miguel Hernández, uno de los más pasmosos casos de invención verbal que ha registrado la poesía contemporánea.

Recuerdo a Miguel Hernández; lo recuerdo bien, en la distancia de una remembranza ya dispuesta a diluirse en la imprecisa idealización del pasado, pero el hombre a quien conocí un

poco, treinta y cinco años atrás, es el mismo y es diferente de
este Hernández cuya poesía está sonando ahora en mi oído, en
singular fusión con el rumor del agua fluyente en Barton
Springs, a cuya orilla paseo pensando en él. Miro a lo lejos, al
centro de Austin, y los pretenciosos edificios del Driskill Hotel
y el Capital National Bank traen a la memoria aquella explosión
castiza:

> ¡Rascacielos!: ¡qué risa!: ¡Rascaleches!

y el campo en torno, que huele como el mío a romero y tomillo
(¡pero los arbustos del aroma no son aquéllos y su nombre suena extraño a mis oídos!), me hace pensar en el verso lleno de
agua y flor, de viento y sol, de tierra propia e infancia:

> hace un olor a madre que enamora.

Versos sueltos, desperdigados, fueron colgándose caprichosa-
mente en la memoria y en este momento, mientras sueño un
día lejano (Alicante, 1938), reaparecen, jirones flotantes, a su
manera, más aún, fundidos no sé cómo con mi divagación, y
en esa fusión (no confusión) adquieren especial resonancia que
canta dulcemente en el corazón y tienen para él un sentido, tal
vez distinto del perceptible en su contexto original, pero que de
algún modo sigue siéndole fiel.

Esto es, pues, cuanto queda del hombre. Ésta es la razón
de su existencia y la forma de su supervivencia. Saltan las ideas,
borbotean, se precipitan, se atropellan, mezclando la emoción
con el devaneo, la reflexión con el recuerdo, el pasado, lo presente, futuros inciertos, fantasmas... ¡Miguel, Miguel...!, y bajo
el claro cielo de Texas, en la tarde de primavera, pugna por
cuajar la imagen venida del lejano ayer, el poso de añejas lecturas con el temblor de las hechas estos días últimos, en que
pasé horas y horas leyendo poemas del querido amigo.

Iba a escribir malogrado, y no sé si el temor al lugar común
me detuvo; tal vez por huir del tópico me resisto al adjetivo

inevitable, mas, por otra parte, pregunto: ¿malogrado Miguel Hernández? ¿No está aquí, en este volumen que llevo conmigo, el mejor testimonio de sus logros? Y a pesar de ello me inclino a pensarle incompleto, sinfonía inacabada su obra, en la que páginas bellísimas hacen sentir la ausencia de las que debieron seguirlas si la esbelta flecha lírica hubiera recorrido la total trayectoria imaginable para ella.

Voy y vengo de esta impresión a la contraria, movido según creo por la idea de que el destino se cumple en cada caso inexorablemente, y la muerte no hace sino confirmar lo escrito por el dedo de Dios en páginas de fuego. Miguel, destino cumplido, y por eso este libro que hoy me consuela y exalta puede llamarse con relativa fidelidad: *obras completas*.

Y en el prólogo de María de Gracia Ifach encontramos la anécdota (alguna otra vez contada) de Miguel liberado inopinadamente de la cárcel merced a gestiones de un prelado francés. Leemos: "Estando en París, Neruda y María Teresa León, se enteran del encierro de Miguel [en una prisión madrileña]. Gestionan en su favor. María Teresa consigue un ejemplar del "Auto Sacramental" del poeta y hace que lo lean al Cardenal Baudrillart —estaba ciego— que era amigo de Franco. La poesía religiosa del preso conmovió al Cardenal a tal punto, que consiguió su libertad provisional". Curiosa pero inexacta: la realidad es menos novelesca pero más representativa de cómo el azar suplanta (si no hace sus veces) la mano del destino. La libertad de Hernández fue consecuencia de una disposición gubernamental que no le alcanzó a él sólo, sino a todo un sector de presos políticos. Le cogió de improviso, y al ejercitar esa inesperada libertad, le faltó tiempo al poeta, ansioso de calor y de paz, para correr hacia lo suyo: tierra, mujer y muerte.

Aclarar lo sucedido no es matar la leyenda, sino su matiz romántico, pues según ocurre en el presente caso, la absurda y estúpida verdad es más expresiva del horror de nuestro tiempo, automatismo y mecanización; va más cargada de oscura significación que lo contado y explica mejor lo irremediable del suceso. Y no es ocioso aclararlo, pues el destino del poeta se integra así más cabalmente con el del hombre común, de quien es voz y conciencia.

En esa voz y en la pasión de donde nace se gesta el relámpago de las iluminaciones, la brasa de amor viva que súbitamente, cuando el viento sopla, se hace llama y vuela derecha a destruir el corazón de las tinieblas. Quizá lo menos obvio resulte evidente: Miguel, retórico puro, perito en lunas y en preciosismos de exquisita calidad, lo superó y se superó porque lejos, en la profundidad del sueño cotidiano, relampagueaba incesante su corazón. Éste es el rayo que no cesa y alumbra deslumbrante, con fulgor súbito y hondo temblor, los abismos en donde acosado se refugia el sentimiento. Neogongorismo, pues, pero, como ese Alberti (a quien tanto se parece en la proteica facilidad para los juegos de la gracia), bajo la sonrisa y el refinamiento fluye la sangre y bajo los relieves de la línea cantante se declara un hombre.

Ese hombre va poco a poco, a ojos vistas, convirtiéndose en mito. La textura de lo pasado se carga con nuevas significaciones imprevistas y la imaginación colectiva traduce la realidad estricta a lenguaje más rico y más sugerente. El mito será válido y durará en cuanto responda a esa realidad, y al expresarla la trascienda; el de Miguel lo es porque tras él alienta la poesía dándole alas y raíces, impulsándole y reteniéndole, como en el precioso poemilla de Juan Ramón Jiménez. Sin la poesía para justificarlo, sería pura falacia, construcción fantástica levantada (como Claudel intentó en el caso memorable de Rimbaud) para rectificar una incómoda verdad; si ésta subyace y lo arraiga, el mito será quien a la larga mejor y más plásticamente la exprese. Acerquémonos, pues, a la obra de Miguel Hernández y veamos lo que hay en ella. Notemos, prueba primera del lirismo desencadenado y desencadenante, cómo las intuiciones cristalizan en palabras y las palabras suscitan a su vez, en incesante simbiosis, nuevas intuiciones, tejiéndose y mezclándose unas y otras hasta el punto de que expresión e intuición, siendo movimientos diferentes, aparecen integradas e inseparables. El canto engendra canción y la canción canto, en único y continuado proceso lírico.

Hernández se dirá desde el principio hasta el fin: los objetos y los sucesos de su canto lo poseen, y tras el fenómeno de la posesión, tras el ser poseído por ellos y el correlativo poseerlos, reconocimiento e identificación, vendrá el expresarlos como algo personal, elementos o partes del mundo interior, asimilados por el poeta y expresados como cosa propia. Impresiona este poder de captación e integración de lo diverso y contradictorio en una corriente unitaria de poesía, que no negará las oposiciones, pero las afirmará como partes de un proceso dialéctico en que tendrán sentido. Todo aparecerá, pues, dentro de la corriente expresiva y como parte de una confidencia. Por eso su poesía, incluso cuando quiere ser épica, es lírica; incluso cuando es viento del pueblo, es viento de Miguel, resonancia de la tempestad en su alma.

Se rompe así la incomunicación entre el hombre y el hombre, entre el mundo y el hombre; cada persona, cada objeto aparece en la poesía con su realidad propia y a la vez transfigurado. La imagen, naturalmente, es el vehículo de esa transfiguración, aunque lo revelado acontezca en estratos remotos del alma. Fijémonos en ella, y veamos lo que representa en una poesía chisporroteante en espontánea combustión de metáforas, gracias verbales, asociaciones fulgurantes e inesperadas de la palabra viva. Tantas que a veces el poema parece espléndido juego de palabras, ejercicio retórico de primera clase a cuyo desarrollo el autor mismo asiste divertido y atónito, tal vez sorprendido por la altura adonde llega el deslumbramiento de su voz.

En el principio fue la mirada. El mundo (el mundo de lo natural) era maravillosamente nuevo y suyo para el muchacho que lo descubría y se lo apropiaba en el campo alicantino. Y ese muchacho, voraz devorador de poesía, de letra impresa, descubrió casi al mismo tiempo que seres y cosas tenían otra forma.

Más aún: entre objetos dispares veía relación, una semejanza que, cuando establecida, conocida y reconocida, constituía en sí otro descubrimiento colmado de sugerencias, ventana por donde entraban aires inesperados, barrían las nubes a través de las cuales se ejercitaba diariamente la vista y dejaban al descubierto (tal vez sólo un instante) reveladores paisajes del alma.

La palabra, pues, podía revelar y ayudar a la revelación por la doble eficacia de lo expresado a través de las asociaciones de vocablos y por el efecto encantatorio, de fórmula mágica, adquirida en la expresión poética. Corre un lagarto al sol y, al verlo, todo un mundo surge en la imaginación de Miguel. El pequeño animal recuerda al de las vivas imágenes exóticas, visto en láminas o tal vez en algún parque zoológico —"cocodrilo en miniatura"—. Y más profundamente es, en el zigzagueo sobre la piedra, relámpago que ilumina el pasado, lo acerca al presente y en verdad lo baraja con él, convirtiendo el tiempo en fluida unidad por donde el hombre puede circular libremente:

> La libre estalactita
> que la sierra produjo,
> puñalada mollar de abril en flujo,
> su esplendor rubricando troglodita

Si la palabra "troglodita" evoca la prehistoria, su asonante "estalactita" empuja desde la primera línea a un ámbito intemporal, a la fusión y confusión de la vida en sus orígenes: animal y mineral participan de una fuerza que (según tesis desarrolladas por el padre Teilhard de Chardin al exponer su teoría de la evolución) pasó de lo otro a lo uno, de esto a aquello.

La imagen está diciendo más de lo pensado; la intuición tiene aspectos oscuros, la conciencia del poeta no siempre puede captarlos en toda su hondura, y quedan en el poema, latentes y como en cifra, para ser descifrados en la lectura. El gongorismo prevaleciente en la expresión del fragmento citado no debe engañarnos; la poesía va por dentro, y a pesar de los floreos. El gongorismo y la retórica de clave amenazan convertir el poema en pura lentejuela, pero lo salva la capacidad integradora manifiesta por el creador al encontrar espontáneamente imágenes gracias a las cuales el minúsculo espectáculo contemplado suscita la visión de algo grande y permanente. El lagarto fue estalactita y volverá a serlo; la vida comienza en la roca, solidificación del caos, y vuelve a ser piedra para, de carbón, convertirse otra vez en llama. Ininterrumpido ciclo de creación, entrevisto pero no desarrollado por Hernández. Esta fue su limitación. El ademán señala la curva, la trayectoria, y vemos cómo se inicia el recorrido, pero en algún momento el punto luminoso pierde fuerza y no da de sí cuanto parecía llevar dentro.

Toda su poesía parece escrita desde estados de ánimo contradictorios: la nostalgia del paraíso le hace sentirse desamparado e inerme en el mundo, pero esa nostalgia indecisa se enfrenta con su realismo campesino, con su diaria toma de contacto con la realidad. El hombre es Adán sobre la tierra, Adán soñando el pasado, o recordando y soñando Arcadias imposibles. El Adán de "Égloga nudista" o de "Huerto mío", ya se contenta con un pequeño rincón convertido por su esfuerzo en paraíso. Concordancia entre la nostalgia y el sentido de lo posible. Si el Paraíso fue definitivamente perdido, queda todavía una ilusión realizable —irrealizable, pues que ilusión—: la del refugio, "del monte en la ladera", como Fray Luis en el huerto salmantino. "Adán por afición, aunque sin Eva", se detiene un instante a soñar, antes de que la vida salte las tapias y le arrastre al vendaval que va a destrozarle.

El hombre es según la muerte lo completa, y en el caso de Miguel Hernández esta obvia verdad debe subrayarse. Parece más tajante que en otros casos, pues la muerte y los años de guerra y de cárcel que la precedieron contradicen el ser íntimo, entrañable, que era; al hombre de paz y de amor manifiesto en su obra no le destruyó, pero le transformó la vida, un destino ominoso que me siento tentado a escribir con mayúscula (románticamente, como correspondería a quien así sintió) para destacar su carácter de fuerza indestructible, ligada a los hados rectores, malévolos y benignos, de nuestra existencia.

En la poesía de Hernández se declara, pues, esa inexorable dialéctica entre la esperanzada nostalgia y la desesperada constatación del mundo según es. El contraste entre la ciudad y la aldea constituye frecuente motivo de su inspiración, y para cantar el gastado tema encuentra acentos personales. "El silbo de afirmación en la aldea" es buen ejemplo de cómo sentía ese contraste y de los matices con que supo precisar sus emociones. Entre las criaturas y objetos de Dios y los manufacturados por el hombre encuentra la suprema diferencia establecida por su sustancia entre lo natural y lo artificial: honda y secretamente comprueba que en el mundo asfáltico las cosas ya no son por necesidad, "por vocación de ser", sino conveniencias, caprichos, y hasta instrumentos de perversión; por eso no logran su plenitud. Al mundo de deleitable seguridad en que creció le ha sustituido el temeroso y oscuro ámbito de frenesí donde se siente bajo perpetua amenaza. Electricidad y fugacidad frente a serenidad y eternidad. Lugares comunes, pero reveladores, especialmente cuando señala la ausencia de Dios, agudo vacío en el tumulto y el delirio, netamente opuesto al silencio de Dios, aludido en el último verso del poema, y aun a la falta registrada en "El silbo de la sequía", otra forma de silencio, la de no otorgar la lluvia, lo que la tierra pide.

¿A quién sorprenderá encontrar a Miguel Hernández echando de menos a Dios si su obra está tan henchida de flor y fruto, es decir, de creación que inexorablemente postula al creador? "Silencio divino" plantea con tono unamuniano la cuestión, en términos absolutos, con acuciante anhelo por escuchar la voz, sólo audible en ese silencio que potencialmente lleva en sí las "lenguas de fuego" de Pentecostés, la doble literal iluminación. Y en esos versos destella honda y personal la religiosidad emergente con formas más convencionales y menos persuasivas en los sonetos "A María Santísima" y en otras composiciones.

Téngase presente para no deformar por exceso de unilateralismo la imagen del poeta. Pues si al fin se cumplió en la amargura el "Sino sangriento" profetizado en uno de sus mejores poemas, tal sino se realizó contra las avenidas abiertas en el alma por posibles futuros que nunca se lograron, quedando incorpóreos, espectrales proyectos de vida, pero capaces, por su soterraña potencialidad, de operar en la poesía.

La tierra tiene en ella olor a madre, sabor a desposada, y también aquí las metáforas tienen relevancia y significación; bajo las inequívocas alusiones yace el testimonio de una descripción reveladora. En un mundo de inseguros y desarraigados Hernández aparece sólidamente vinculado a lo suyo. Incluso (alguna vez) la muerte es pensada como retorno al claustro materno; como "regazo íntimo y amoroso" nombra a la tierra, no imaginándola símbolo de podredumbre y muerte sino de renacer (el desnacer de Unamuno) y nueva y viva, pues de ella y en ella brotan las flores.

Poeta arraigado apasionadamente, parte de su pasión (la mejor parte tal vez), identificable sin resquicio para la duda como pasión de vida y no de muerte, se volcó hacia el prójimo, hacia el otro con quien se sintió en comunión entrañable. "Hijo de pobre soy", dijo en un soneto de "El silbo vulnerable", y nunca renegó de esa filiación, antes quiso ajustar a ella su conducta. Ahí se origina su protesta, más social que política, que cuajará en increpaciones como la "Oda al minero", donde una vez más la imagen —"la carne injerta en etiopía"— lejos de gratuita, es vehículo adecuado para expresar cómo la negrura asfixia la aurora y la opresión la esperanza.

Este arraigo y esta comunicación con el hombre sitúan a Miguel Hernández en plano diferente al de sus coetáneos. Y la protesta es relevante por su sinceridad; la queja y el grito vienen con el aliento, se engendran por combustión espontánea de su amor al hombre y llegan a ser poesía por obra y gracia de la fatalidad estética. Hablar aquí de "poesía social" sería caer a la vez en el lugar común y en la confusión desnaturalizadora.

Poesía a secas, que no busca sus temas: los encuentra (como hablando de sus hallazgos precisó Pablo Picasso); la sangre dicta las palabras y en su latido se da de alta el sufrimiento, imbricado siempre con el amor y la esperanza.

Vivir la vida entre los semejantes, entre quienes se le parecen, sintiéndose uno de ellos y compartiendo dolores, preocupaciones y alegrías. No hay contradicción en distinguir entre fatalidades e injusticias, y la comprensión del humano destino como vocado al dolor, a un cierto dolor inherente a la condición humana, según se expresa en "Del ay al ay, por el ay", no se opone a la convicción de que no todo el sufrimiento del mundo es inevitable. La aceptación del destino y la actitud frente a la muerte, de que hablaré en seguida, se basan en Hernández sobre la idea del padecer como ley de vida; de que se nace, vive y muere en un ¡ay! La rebeldía comienza al constatar que ciertos dolores no son obra de la fatalidad, sino del hombre. En el poema citado, el ¡ay! aparece hasta tres veces en una línea octosílaba, obsesivo ritornelo en torno al cual cristaliza el poema como interjección acabada en lamento.

Cuando llora la sequía, fenómeno cuyo carácter le hiere por contrario a la ley de la naturaleza, a la armoniosa fusión del agua y la tierra, fecundante; el agua es símbolo de penetración amorosa y fructífera, sequía en cambio es esterilidad, y lo dicho del campo es aplicable al hombre. Sin el amor se resecará el alma, se endurecerá el barro del corazón, y una y otro cesarán de dar fruto. Entrará el hombre en ese mundo del ¡ay! reaparecido en el ya citado "Sino sangriento", título tan profético como su estrofa final:

> Me dejaré arrastrar hecho pedazos,
> ya que así se lo ordenan a mi vida
> la sangre y su marea,
> los cuerpos y mi estrella ensangrentada.
> Seré una sola y dilatada herida
> hasta que dilatadamente sea
> un cadáver de espuma: viento y nada.

No mentía la estrella aunque, reminiscencia acaso del verso gongorino ("en féretros de *espuma, cadáveres* de rosas"), o del sorjuanesco ("es *cadáver,* es polvo, es sombra, es *nada*"), la última línea sugiera de pronto un inhabitual embellecimiento de la muerte. Vale la pena detenerse un instante y señalar cómo esta aparición de la retórica embellecedora quiebra el fluir natural de una intuición ligada a la sangre y a la tierra. Lo no sorprendente cuando aplicado a Garcilaso (entendemos bien cómo el "claro caballero de rocío" encarna, según la imagen declara, al héroe del lejano ayer, y con él la fragancia y fragilidad de la poesía) extraña si se refiere al Miguel de barro y sueño, al Miguel que naturalmente se sabía hecho de tierra y para devuelto a la tierra madre. ¿Es retórica pura —impura— suscitadora de un verso hermoso y significante, pero no en el sentido total del poema?

Recordemos la inclinación de Hernández al juego verbal: la tendencia era fuerte y a veces parecía arrastrarle y arrastrar el poema por inesperados derroteros. Su fabulosa destreza en el uso de los recursos que la palabra ofrece se complacía por momentos en ver hasta dónde daba de sí, y no faltan lectores a quienes atrae sobre todo por su fantasía en el manejo de la palabra, resonante y reverberante en continuado chisporroteo. Delicioso como juego, el de las repeticiones y variaciones (por ejemplo), con variación en la reiteración, vale más si el primor refleja la calidad de la impresión. Así, cuando en "Invierno puro", el "frío, fríos, refríos fríos quiero" cede el paso a la aliterativa expresividad de

> ¡Ay viento-viento de por la mañana,
> viento de por la tarde! : ¡ay viento-viento!
> Me da el viento, Señor, me da una gana
> el viento de volar, de hacerme ave.

la repetición aquí tiene sentido, pues revela el carácter obsesivo de los impulsos: la pasión por ser libre como el viento, a quien nada sujeta, para de tal suerte escapar al destino. Los versos del soneto 9, en *El rayo que no cesa*, empiezan y acaban con la misma palabra; la insistencia se desplaza del verbo al sustantivo y de éste al adjetivo para subrayar con trazo visible un momento de amor y esquivez que siendo un lugar común lírico interesa por lo insólito de la expresión. La vida misma es otro lugar común (en la realidad y en la poesía), pero inmenso; cada poeta la vive a su manera y si acierta a preservar en el poema lo privatísimo y único de su experiencia, la obra le salvará y se salvará.

Y alguna fuerza oscura, algún pájaro de noche habita el verso de Hernández. Para cautivarlos casi convirtió el artificio reiterativo en método; los matices revelados en la variación dentro de la repetición destellan y las diversas facetas del evasivo misterio cristalizan en la radiante plenitud del poema. Por un lado la explotación del valor fónico de las palabras, la seducción del oído facilitada por los halagos sonoros y a menudo por las rimas interiores; por otro, la corriente de intuiciones deslizándose como río fecundante, justificando el poema y cuajando en la formulación densa y el rigor de la forma tradicional: soneto, décima, octava real..., o cantando en el verso libre.

Del ejercicio de estilo ("A ti, llamada impropiamente Rosa") a la confidencia desgarradora ("El último rincón"), las diferencias son grandes. Pero no es difícil hallar el elemento permanente, el acento de la pasión que vibra más recia cuando desesperada, cuando obligada a afrontar los problemas decisivos. Si mientras la muerte es lejana premonición Hernández puede verla con lógico alejamiento, cuando su realidad le cerca y asedia "el tema" se convierte en vida. Terrible experiencia: vive la muerte en la costumbre, sintiendo su presencia dentro, en la entraña del corazón. Tal fue el dramático regalo del destino. Al principio puede verla con distancia y serenidad, según la tradición estoica aconseja, y la piensa como desenlace natural de la vida. Imagen de la muerte puede ser el toro, "amorosa fiera hambrienta", o el leñador, "homicida" enamorado del árbol que derriba; pero en los años de prisión, cuando el vaho de ella le

llega con el propio aliento, la sensación de hallarse ya fuera de
la vida, como lo está del mundo real, la sensación de padecer
una pesadilla sin despertar posible le hace sentir de otra manera. La muerte está ahí, al extremo de la pasarela, y él sabe la
imposibilidad de volver atrás, a la tierra firme. Con prisa, urgi-
do por la llama que le abrasa, su corazón canta a la vez el amor
y la muerte. Furiosa y dulcemente el amor y la pena le sostie-
nen, y la poesía es su resguardo. *Cancionero y romancero de
ausencias,* comenzado durante la guerra civil española, continúa
creciendo y formándose en la prisión, recordando, con el beso,
la flor, el agua y la luz. Sólo la poesía le consuela y le salvará
al salvar lo mejor suyo. Confidencia inacabable e inacabada del
corazón herido, desengañado y triste. La tristeza colma este
libro, y los poemas no incluidos en él, pero escritos hacia la
misma época y poco después. Poemas como "Vuelo" ("Sólo
quien ama vuela"), "El niño de la noche" ("Quise ser... ¿Para
qué?") o "Sepultura de la imaginación" ("Un albañil quería...")
dicen toda la desolación de quien se sabía derribado, fracasado
y empujado a la muerte; quizá ninguno revela mejor la intensidad y hondura de su desolación como aquel dramático soneto
en donde desde la noche deja oir la angustiada pregunta:

> ¿Esto es mi tumba o es mi bóveda materna?
> Sigo en la sombra, lleno de luz; ¿existe el día?

Escalofriante confrontación de la temporalidad hacia el futuro
—la muerte— y hacia el pasado —el útero—, con la agobiante
asimilación entre cárcel y tumba, sugerida por el "esto", y por
cuanto hay en una y otra de situación fuera del tiempo. La pregunta de la primera línea, si cuestiona el amanecer no niega la
luz, porque la lleva dentro. ¿Qué es vivir y de qué está hecha
la vida si su tejido —los días de nuestra existencia— son solamente silencio y sombra? ¿Cuál será el signo inconfundible de
la vida, cuál el de la muerte y dónde la frontera?

> Es posible que no haya nacido todavía,
> o que haya muerto siempre. La sombra me gobierna.
> Si esto es vivir, morir no sé yo qué sería,
> ni sé lo que persigo con ansia tan eterna.

Anegado por la desolación y la sombra el poeta duda de sí porque duda de la vida. Pero el futuro (este fugaz e inseguro presente) respondió a su pregunta, y ahora vemos cómo el afán de eternidad hizo posible la salvación en la poesía. La muerte (y no el acaecer remoto, la abstracción cantada por tantos poetas; no la meditación sobre ella, sino ella misma) le colmó, fijando su imagen sobre el trasfondo de sufrimiento que la precedió. Y aquí están los poemas, los testimonios, transidos de amor y dolor, canción y llanto, adelgazados hasta un último límite de sencillez, listos para volar inmensamente surcando cielos vedados al poeta. Donde él no pudo, llegaron ellos, chispa del rayo que no cesa, latido del corazón y el pensamiento de Miguel Hernández.

ÍNDICE DE NOMBRES PROPIOS

ÍNDICE GENERAL

BIBLIOTECA ROMÁNICA HISPÁNICA

Director: DÁMASO ALONSO

I. TRATADOS Y MONOGRAFÍAS

1. Walther von Wartburg: *La fragmentación lingüística de la Romania*. Segunda edición, en prensa.
2. René Wellek y Austin Warren: *Teoría literaria*. Con un prólogo de Dámaso Alonso. Cuarta edición. 432 págs.
3. Wolfgang Kayser: *Interpretación y análisis de la obra literaria*. Cuarta edición revisada. 1.ª reimpresión. 594 págs.
4. E. Allison Peers: *Historia del movimiento romántico español*. Segunda edición. 2 vols.
5. Amado Alonso: *De la pronunciación medieval a la moderna en español*.
   Vol. I: Segunda edición. 382 págs.
   Vol. II: En prensa.
6. Helmut Hatzfeld: *Bibliografía crítica de la nueva estilística aplicada a las literaturas románicas*. Segunda edición, en prensa.
7. Fredrick H. Jungemann: *La teoría del sustrato y los dialectos hispano-romances y gascones*. Agotada.
8. Stanley T. Williams: *La huella española en la literatura norteamericana*. 2 vols.
9. René Wellek: *Historia de la crítica moderna (1750-1950)*.
   Vol. I: *La segunda mitad del siglo XVIII*. 396 págs.
   Vol II: *El Romanticismo*. 498 págs.
   Vol. III: En prensa.
   Vol. IV: En prensa.
10. Kurt Baldinger: *La formación de los dominios lingüísticos en la Península Ibérica*. 398 págs. 15 mapas. 2 láminas.
11. S. Griswold Morley y Courtney Bruerton: *Cronología de las comedias de Lope de Vega (Con un examen de las atribuciones dudosas, basado todo ello en un estudio de su versificación estrófica)*. 694 págs.

II. ESTUDIOS Y ENSAYOS

1. Dámaso Alonso: *Poesía española (Ensayo de métodos y límites estilísticos)*. Quinta edición. 672 páginas. 2 láminas.
2. Amado Alonso: *Estudios lingüísticos (Temas españoles)*. Tercera edición. 286 págs.
3. Dámaso Alonso y Carlos Bousoño: *Seis calas en la expresión literaria española (Prosa-poesía-teatro)*. Cuarta edición, en prensa.

III. MANUALES

VII. CAMPO ABIERTO

VIII. DOCUMENTOS

IX. FACSÍMILES